Pasos de guerra

Pasos de guerra

ESTHER GARBONI

·EDICIONES·PANGEA·

Primera edición: octubre de 2021
Segunda edición: agosto de 2023

Del texto: © Esther Garboni

Del prólogo: © Sebastián Moreno
De la ilustración de cubierta: © Lucas M. Pajares
Peralbo, *Pape*

De esta edición: © Ediciones Pangea, 2023
41720 Los Palacios y Villafranca, Sevilla
www.edicionespangea.com

Edición al cuidado de José Peña Fierro
Composición de la cubierta: Sergio Román Morato

ISBN: 978-84-127361-0-6
Depósito Legal: SE 1434-2023

Impresión: Ulzama Digital
Impreso en España / *Printed in Spain*

*A los niños y niñas de la guerra,
desde la paz que construyeron.*

AGRADECIMIENTOS

Gracias a Carmelo Gómez por su siempre
rigurosa y sabia lectura, a Margarita Bonilla
por sus lúcidas radiografías y a Lucas M. Pajares
por su apoyo incondicional y sin horario.

PRÓLOGO

COREOGRAFÍA PARA UNA GUERRA

Por Sebastián Moreno

> «Baila, baila,
> de otra manera estaremos perdidos».
> PINA BAUSCH

Como quien accede a remotos pasajes sonoros que guarda en la memoria, notas de un piano ahogado que se reconoce, se hacen cuerpo los rumores que abrazan las primeras páginas de este texto que les invito a descubrir. Como una sombra que les mira de frente. Como un sueño que les amenaza. Como una plegaria sorda que se estira geográficamente desde hace siglos. *Lunares sonoros del eco*, que diría Lorca. Porque nos interpela y somos capaces de reconocer las primeras notas, incluso los más sutiles acordes, que acompañan a una guerra.

Es la guerra, siempre, en este texto y en nosotros, la idea de guerra. El concepto, el señuelo. La exacerbación de todas las fronteras: físicas, morales y espirituales. Delante de mí: una frontera. Detrás de mí: otra frontera. Son tiempos de crispación, discursos de odio, ecos de guerras perdidas, enfrentamientos donde se parece negar la oportunidad al entendimiento, al negocio, al acuerdo, a la paz. Si bien la propuesta de *Pasos de guerra* se presenta desnuda, liberada o emancipada de carga política concreta, no impide remitirnos a símbolos presentes y actuales, y también al trágico delirio de épocas pasadas que entrechocan entre sí golpeándose. En su *Tesis sobre la filosofía de la historia* (*Über den Begriff der Geschichte*, 1942) Walter Benjamin hace uso de analogías poéticas y científicas para exponer su crítica al historicismo. Para él, el historiador es un «profeta que mira hacia atrás» y la historia debe ser contada desde la perspectiva de los vencidos, no de los vencedores, y debe anularse la idea de historia como *continuum* de progreso, pues donde se ve un encadenamiento de hechos, parece haber una única catástrofe que acumula incesantemente una ruina tras otra.

Van a leer ustedes una declaración de intenciones, un alegato, si bien atemporal e impreciso, lo cual convierte esta función teatral en universal y emocionante.

> Cualquier país, cualquier guerra, cualquier persona en cualquier frontera… Un camino, una esperanza y un adiós.

Nos advierte la autora al inicio de las didascalias, y también en algunos de los parlamentos:

JAN
Pasamos la infancia viendo la guerra en las noticias. Pero era la guerra de otros. Un día se acercó sin que nos diéramos cuenta. Entró sigilosa y se extendió como una mancha de aceite, ensuciándolo todo. […] Una noche me preguntó: ¿vas a morir o a matar?

¿Cómo se inicia una guerra? Acostumbrados como estamos a ver los incendios, las llamas, el humo, las ascuas… ¿Cuál es la cerilla? ¿A qué se va a una guerra? Quiero traer a este prólogo estos bellos versos de Dionisio Sánchez Loring que siento en comunión con el anterior parlamento:

¿Cómo irás a la guerra?
¿Qué comerás en la guerra?
¿Cuánto tiempo dormirás en la guerra?
¿A cuántos hombres matarás en la guerra?
¿Cuántas veces te dispararán en la guerra?
¿A quién le darás tus cigarros en la guerra?
¿Cuánto dura la guerra?
[…]
y tú
desde el suelo aún me preguntas
¿lo hice bien?
¿me morí como tú
querías?

Material para intemperie (Ediciones Invasoras, 2020)

La guerra se nos presenta en esta función en tres actos en los aromas a huida, a exilio. En la suerte de encuentro de sus protagonistas (Anna y Jan) que conoceremos al tiempo que ellos se vayan descubriendo. Otro sutil ejemplo del acercamiento posible desde las diferencias. No desvelaré mucho más. Odio el tipo de prólogos que destripan las lecturas.

Hace uso entre las páginas, Esther Garboni, de un despliegue majestuoso de símbolos: los lobos, la leche, el río, las fronteras, las maletas cargadas con el rebosante peso del exilio, de las ideas, de los recuerdos, de las historias, de los sueños, de la soledad...

JAN
Para mí también es doloroso separarme de las personas a las que amo.

ANNA
Sin embargo, cuanto más me alejo, más libre, más leve, más sin peso me siento. Como si mi familia fuera una carga de la que me estoy librando. ¿Te pasa también a ti?

JAN
No los estamos abandonando.

ANNA
¿No?

JAN

No. Todo lo que amamos pesa. El peso te recuerda que están ahí para cuando los necesites, como tu equipaje... ¿Por qué cargas, si no, con tanto?

ANNA

Antes de partir, no imaginaba que me asustaría la soledad. No imaginaba...

JAN

Por eso vienes conmigo. Te da más miedo la soledad que yo.

ANNA

Lo que me asusta es morir sola. ¿Has pensado alguna vez quién te cerrará los ojos? ¿Cuál será tu última mirada? ¿A quién oirás por última vez?

JAN

No estás sola. Ven. Acércate. Mira.

La guerra no es la única frontera con la que sentimos que el texto entra en relación. Con una brillante y sobria maestría, Garboni traspasa, en ese ejercicio universalizador, la frontera del espacio/tiempo. Lo hace ayudándose de la belleza de las acotaciones, por un lado, de la fuerza lírica de algunos de los monólogos, que te elevan y hacen quedar pegado a las páginas, por otro; y del realismo mágico con el que se presentan los personajes secundarios, que en el relato como en la guerra son de una trascendencia imperiosa. Brigitta es la madre de Anna, el abrazo, el cuidado, el cordón umbilical, la deuda. Víctor es el desenlace irracional, el delirio hecho carne, la cruzada de los niños de las guerras santas de 1212, golpeándose contra los críos que van hoy con la kalachnikov en la mano, portando la furia de siglos a la deriva. Úrsula, la herida abierta, el horror, la sangre, la mártir.

Hay en el personaje de Úrsula un grito lírico y épico que me remite al personaje de La Clueca de *Cruzadas* de Michel Azama, autor al que también siento que interpela esta función. Azama, en palabras de Irène Sadowska-Guillon, «se caracteriza por una huida del naturalismo, salpicada por una evolución hacia formas más épicas y barrocas y por la personificación de unos héroes insatisfechos que cambian de lugar para encontrarse todavía peor». En la mencionada función, el personaje de La Clueca representa a la madre de todos los hijos, los vivos, los muertos, los resucitados. La loca, el destierro, la sangre, el veneno, el canto, el verbo. El propio dramaturgo lo explica así: «Hay momentos de oratorio que son para mí muy importantes, porque pienso que el teatro es ante todo el lugar de la lengua que se vuelve canto».

La Clueca
Extraña velada la que pasé cuando encontré a mis hijos fríos de muerte
y los velé en el campo de exterminio.

Cuando me levanté en la mañana helada
y los abandoné allí donde habían caído
para mirar en el camino frente a mí.
El camino me ha servido de vendaje y de agua y
de esponja,
ha vertido sosiego sobre mis heridas.
El viaje continúa, el final no lo conozco.
Envidio a los hombres que se duermen en la casa
de su infancia rodeados de rostros conocidos.
Sigamos.

Cruzadas, MICHEL AZAMA (Servicio de Publicaciones, Universidad de Cantabria. 1993)

La palabra, como el teatro, como la lluvia, como la guerra, no se acaba, no se olvida.

ANNA
Las guerras no terminan. Cambian sus formas, se vuelven silenciosas… Pero el rencor no descansa.

Hay en la guerra, como en la danza, algo ancestral, simbólico, enigmático. Decía Pina Bausch, bailarina, coreógrafa y directora de teatro, y así vuelvo al principio, cierro el círculo, que no le importaba cómo se movían las personas, sino por qué se movían. Como en la guerra, el origen, la semilla, es lo importante. Como en la escritura, que es andanza, que es camino, que es coreografía. Te vuelve libre, te excita, te domina, te arrolla, te hace patinar, siguiendo firme los pasos. Pasos de baile, pasos de guerra.

***

Un último consejo: no se acerquen al abismo del final de la función. Esperen que llegue, como un mal presagio, y disfruten cuando aterrice como una golondrina en el nido de sus corazones, alguno de los últimos versos, cual canción fantasma.

Lean. Lean a Esther Garboni. Lean teatro. Lean y bailen, de lo contrario estaremos perdidos.

Pasos de guerra

Dramatis personae

Anna, Anne o Ana son los nombres con que la libertad toma forma en esta humilde joven. Ella representa la valentía y la lealtad. Su fortaleza no se muestra tanto en su aspecto físico, como en la energía que transmite y en esa luz que, sin pretenderlo, irradia como un faro, iluminando un camino incierto. Ella es la poesía.

Bajo los nombres de Jan, Joan, Juan o Iván nos encontramos a un joven algo mayor, que la acompaña sin equipaje en este camino. Él representa el amor y la paz. Es un apuesto galán, pero su apostura no está en su ropa o en sus posesiones; sino en su gallardía natural y en la forma de enfrentarse a las dificultades.

Brigitta, Brígida o Brigitte son los nombres con los que se presenta ante nosotros el sueño de la maternidad. Ella es la madre de Anna y la madre del mundo. Es la voz de nuestro interior y porta en sus brazos desnudos ese abrazo que necesitamos y no pedimos.

VÍCTOR, por el contrario, el niño militar, no es tanto el hijo del mundo, como su consecuencia natural y, al igual que ÚRSULA, la mujer rota que carga el peso de la muerte, encarna el horror de la guerra.

CONTEXTO DRAMÁTICO

Cualquier país, cualquier guerra, cualquier persona en cualquier frontera... Un camino, un paso fronterizo, una esperanza y un adiós.

PRIMER ACTO

PRIMER ACTO

Escena I

De las fauces de una mastodóntica y ruidosa fábrica, aprovechando la noche, pestilentes vertidos y nauseabundos desechos avanzan por dos largas cintas transportadoras que salen de los bajos de una puerta industrial cubierta por sucias cortinas de anchas tiras de plástico que desemboca en un vertedero interminable. De este inmundo lugar, como el resto de la basura, es arrojada Anna, *en un largo y doloroso vómito. Siente ella, en cambio, la liberación de quien nace a la vida, aunque parta de la luz del interior, hacia la oscuridad de una noche desdibujada por la sombra de la luna entre los árboles. Dos pesadas maletas le son lanzadas después desde dentro.* Anna *recoge sus pertenencias y comienza a caminar haciendo, a su paso, mover una de las cintas transportadoras y sintiendo que, al fin, también el mundo gira bajo sus pies. Su equipaje, sin ruedas, parece pesado, pero es joven y aún tiene fuerzas. El camino no ha hecho más que empezar.*

El fragoroso compás de la fábrica va dejando sitio, conforme Anna *avanza, al sonido de los grillos.*

ANNA

(*Cantando para espantar el miedo.*)
Baja, luna, baja,
alumbra el camino,
guíame los pasos,
hasta mi destino.
Baja, luna, baja,
camina conmigo;
la noche está oscura
tengo miedo y frío.
Pues si tú no bajas,
al cruzar el río,
morderán los lobos
el corazón mío.

De repente, se escucha el sonido intermitente de algo moviéndose entre los matorrales. ¿Un topo? ¿Un zorro? El campo a oscuras asusta... El ruido crece. El miedo, también. Algo se aproxima. ¿Un hombre? En estos momentos, ningún animal habría de darle más miedo que un hombre. ANNA *se detiene alerta y, dando un paso atrás, tropieza con unas piedras y resbala, saliéndose del sendero.*

ANNA

¡¿Quién anda ahí?! ¡No se acerque! ¡Llevo un arma!

Sale sigiloso y pacífico JAN *de entre los matorrales. Es un joven fuerte, alegre y apuesto, pero, a pesar de llevar buena ropa, sus pantalones y sus zapatos están manchados de barro, su pelo, largo y grasiento, cae sobre su frente y en su barba se observa el paso de los días.* JAN *sonríe y sus blancos dientes quieren firmar un pacto de no agresión.*

JAN

Chsss... No hables tan fuerte, muchacha... Vas a despertar a los lobos.

ANNA

¡¿Quién eres tú?! ¡No te acerques! ¡Eh! ¡¡Te he dicho que te apartes!!

JAN

Está bien... No te asustes. Tranquila... No me acerco, no me acerco...

ANNA

(Incorporándose con dignidad, agarrando fuertemente su equipaje como quien se sujeta con ansia al hilo del que pende su vida.) ¡¿Quién eres?! ¡¿Qué quieres?! ¡¿Qué haces aquí?!

JAN

¿Aún no he llegado a la frontera y ya me van a hacer un interrogatorio?

ANNA
¡Déjame seguir mi camino y vuelve por donde has llegado! ¡Aparta!

JAN *ofrece, gentil, su mano, que ha limpiado con disimulo. La cortesía de su gesto no concuerda con su apariencia.*

JAN
Mi nombre es Jan.

ANNA
Me parece muy bien.

JAN
¿No me vas a decir cómo te llamas?

ANNA
No te importa.

JAN
Quedan 95 kilómetros hasta Bolter. Si vamos a hacer juntos este camino, lo primero que debemos hacer es presentarnos. ¿De dónde eres?

ANNA
¿Quién ha dicho que vamos juntos? ¿Bolter? ¿Qué?

JAN

Vamos al mismo sitio.

ANNA

¿Qué sabes tú?

JAN

Llevas dos maletas y cara de huida.

ANNA

No huyo. Huir es de cobardes.

JAN

Todos los que vamos por este camino lo hacemos, no debes avergonzarte.

ANNA

No me avergüenzo.

JAN

Se llama instinto de supervivencia.

ANNA

(Abriéndose paso.) Pues, si quieres sobrevivir, ¡apártate de mi camino!

JAN

¿O qué? ¿Me vas a disparar?

ANNA
¡No lo dudes!

JAN
No llevas arma.

ANNA
¿Tú qué sabes?

JAN
Enséñamela.

ANNA
Si me haces sacarla, será para dispararte.
¡Aparta!

JAN
No me has dicho cómo te llamas.

ANNA
No necesitas mi nombre para nada.

JAN
No voy a delatarte.

ANNA
¡Yo a ti sí como no me dejes paso!

JAN
Está bien, adelante.

ANNA
Gracias.

JAN
No hay de qué. *(ANNA se aleja.)* ¡¡Pero yo que tú no seguiría andaaandooo!! *(ANNA se gira y JAN señala el horizonte.)* Está amaneciendo...

ANNA
¡¿Y qué?!

JAN
¿Ves a alguien por este camino? A la luz del sol es más fácil vernos y hay orden de cazar a los fugados.

ANNA
¿Crees que no lo sé? Pero yo no soy una alimaña para tener que esconderme de la luz del día. Y permíteme que te corrija: hay orden de detener a quienes se acerquen a la frontera... ¡sin pa-pe-les!

JAN
¿Llevas visado? ¿Tienes salvoconducto para atravesar la valla?

ANNA

(*Orgullosa y altiva, porque pertenece, por una vez,
a la parte privilegiada de este conflicto.*) Me lo van
a dar en Bolter.

JAN

Y entonces, ¿por qué no vas en tren?

ANNA

Porque en el tren hay revisores y policías que
hacen las mismas preguntas tontas que tú. Hasta que no tenga el visado, estoy bajo sospecha.

JAN

Chica con suerte. ¿Un visado laboral?

ANNA

Sí.

JAN

¿De qué vas a trabajar?

ANNA

Soy cocinera. ¡Pero a ti no te importa!

JAN

María, la cocinera.

ANNA

No me llamo María.

JAN

Mientras no tenga otro nombre con el que llamarte, María será tu nombre.

ANNA

Lo que tú digas.

JAN

En serio, María, es mejor que no sigas hasta que vuelva a caer la noche. Si te cogen sin papeles, te detendrán.

ANNA

Lo sé... Lo sé... Lo sé... ¿Qué te crees?

JAN

Y puedo asegurarte que no se está muy bien en las dependencias de la policía fronteriza.

ANNA

Me lo figuro.

JAN

Y las chicas, menos.

ANNA

¿Te han detenido acaso alguna vez?

JAN

Tres.

ANNA

¿Tres? ¿Y aún no te das por vencido?

JAN

(Abriéndose la camisa y enseñándole las cicatrices que han dejado en su pecho.) Es tu primer intento, ¿verdad?

ANNA *se horroriza con lo que ha visto y comienza a sentirse insegura. Ha perdido todo el ímpetu que la llevó a escapar. El horizonte amenaza con perder su negro intenso y una tenue línea de luz va dilatándose lenta, como sangre sobre lino. ANNA conoce el régimen de la herida —ha curado muchas llagas—, como conoce el horror de la guerra y la falta de piedad de los inmisericordes. La luz tampoco se va a detener, pronto habrá salido el sol. El repentino canto de una alondra la estremece como un aviso.*

ANNA

¿Dónde piensas esconderte tú durante el día?

JAN

Detrás de esas matas he puesto mis cosas. Y tú deberías hacer lo mismo. *(Saca de su bolsillo unas nueces peladas y almendras dulces.)* ¿Quieres?

Haciéndose a la idea de seguir el consejo, ANNA *se sienta sobre una de las maletas para no mancharse la ropa. La acaban de frenar como a un tren en marcha y, con ella, ha descarrilado toda una planificación de meses.*

ANNA

Tengo mi propia comida, gracias.

JAN

¿No tendrás leche condensada?

ANNA

Sí.

JAN

Este... ¡Ejem! ¿No me ofreces?

ANNA

No.

JAN

Tengo cecina...

ANNA

Yo también.

JAN

Y magro…

ANNA

No voy a negociar contigo.

JAN

Necesito azúcar.

ANNA

¿Por qué? ¿Eres, acaso, diabético?

JAN

Vaya…

ANNA

Como papá… *(Se dice mientras saca discretamente de su equipaje un tubo de leche condensada, intacto aún, como un tesoro blanco y dulce.)* Toma. No te lo tomes entero.

JAN

¡Gracias!

ANNA

De nada y adiós. ¡No puedo detenerme! ¡No puedo esperar a que caiga de nuevo la noche! ¡Perdería mucho tiempo! Me esperan en Bolter. Me esperan en Bolter el día treinta. Y a ti… Es que tú… ¿No has pensado que, quizás, campo a través, sea más seguro?

JAN

(Mirando con aire de suficiencia los zapatos acharolados y la indumentaria de esforzada clase media de la chica.) Vestida como una señorita distinguida es posible que pases la frontera con mayor facilidad, pero ese monte no lo atraviesas tú con esos tacones y sin romperte las medias con las zarzas.

ANNA

¡Me las quitaré! *(Se mira los pies. Una persona se distingue por su pelo y por sus zapatos y ella lo sabe.)* No tengo otros…, pero estos apenas tienen tacón. Son cómodos. Y tan bonitos… Son de baile, ¿sabes?, aunque todavía no he tenido ocasión de ir a ninguna fiesta con ellos.

JAN

Para llegar a Bolter, atravesando el monte, calculo que se tardaría seis, siete, quizás ocho días a paso ligero. Hay que dar un rodeo a esa ladera y es escarpada. Imposible con maletas... ¡Y menos con esas! ¿Qué llevas ahí dentro?

ANNA

¿Te he preguntado yo qué llevas tú?

JAN

Yo solo llevo unas alforjas con comida y una manta.

ANNA

¿Nada más?

JAN

Es lo que necesito. El mejor equipaje es dinero y contactos. ¿Qué llevas tú que no puedas dejar atrás?

ANNA

Ropa.

JAN

¿Dos maletas con ropa vas a necesitar?

ANNA

Verano e invierno. En el norte hace frío. Llevo también una manta, un caldero... y cosillas que tú no tienes por qué saber.

JAN

¿A que llevas cucharas de plata?

ANNA

No.

JAN

¿Un candelabro de bronce? ¿Algo de oro?

ANNA

No.

JAN

¿Joyas?

ANNA

La única joya que tengo es esta medalla de mi abuela y la llevo siempre puesta. Así que, si eres un asaltacaminos, puedes mirar para otro lado, que yo poco tengo que ofrecerte más que esto y leche condensada.

JAN

¡Leche es justo lo que necesito! *(Haciendo ademán de cogerle las maletas.)* ¿Por qué pesa tanto entonces tu equipaje?

ANNA

No pesa. Es que estoy cansada. (JAN *le arrebata una de las maletas.*) ¡Eh, tú! ¡Suelta! (JAN *juguetea.*) ¡Devuélvemela! ¡Trae aquí!

JAN

Yo diría que pesa trece kilos. Si todo es leche condensada, podrás venderla en el mercado negro.

ANNA

¡Que me la des! (*Se abre, de repente, la maleta y rueda su contenido, ante el asombro de* JAN.)

JAN

¡¿Papeles?!

ANNA

(*Guardando rápidamente de nuevo los documentos y sintiéndose desnuda.*) ¡Eres un insolente!

JAN

Como te abran la maleta en la aduana, te van a hacer traducirles, uno a uno, todos esos papelajos. ¿Alguno comprometedor?

ANNA

¿Por qué te comportas así? ¡Esto no es un juego!

JAN

¡Claro que no es un juego! Está en riesgo la vida. Aunque tú... Tú no tienes que saltar la valla, tú tienes un visado... El paso está abierto para ti. Tienes trabajo de cocinera... Y un montón de papeles que seguro comprometen y abren puertas. Cuéntame... ¿Eres tal vez una espía? ¿Informante? ¿Qué pone en esos cuadernos?

Se escucha el ruido de un vehículo a motor. ANNA *y* JAN *saltan con premura y se esconden entre los matorrales mientras se va haciendo inevitablemente de día.*

Escena II

Está cayendo, de nuevo, la noche. Las últimas horas de la tarde dibujan una escena de colores violetas sobre el monte pardo. Anna *y* Jan *salen con cautela del escondite, suben juntos al camino y comienzan a andar con ritmo acompasado.*

Anna

> Todavía hay luz. ¿No nos verán?

Jan

> Acaba de pasar la última patrulla de la tarde. En el relevo tardan una hora. A veces más porque se dan instrucciones y se beben unos vinos juntos.

Anna

> Te lo estás inventando.

Jan

> He estado tres veces detenido.

ANNA

Lo cual solo demuestra que no eres muy avispado, pero sí un sabiondo.

JAN

Hablas muy rápido para saber tan poco. Las cosas no son como uno las imagina. Estuve varias veces a punto de pasar la frontera. La primera vez fue un chivatazo, ¿sabes?

ANNA

¿Quién se chivó?

JAN

Mi hermano pequeño.

ANNA

¿No quería que te fueras?

JAN

Yo no soy un desertor, eso se entiende, ¿verdad?

ANNA

Nadie lo ha dicho.

JAN

Salgo del país en busca de una ventana desde la que asomarme a la calle sin miedo y en libertad. No quiero que nadie me vuelva a pedir que mate por él.

ANNA

Un pacifista…

JAN

Desafectos, nos llaman.

ANNA

Sospechoso, en cualquier caso, para los dos bandos. Si no eres de los míos, estás contra mí, se dice.

JAN

Los templados, quién lo diría, somos los más peligrosos.

ANNA

¿Nunca has matado a nadie?

JAN

No. Pero creo que podría hacerlo. Ya no me asusta la muerte. He visto morir a demasiada gente.

ANNA

Yo también. En mi pueblo quedamos la mitad. Los otros murieron o se marcharon.

JAN

También en el mío. Pero la muerte no nos ha enseñado humanidad. Recogemos los muertos del suelo, como se coge la fruta caída de un árbol. Estamos anestesiados. Ya no nos duele.

ANNA

¿A quién has perdido tú?

JAN

A mi hermano mayor y a mi padre. ¿Y tú?

ANNA

Yo he tenido suerte. Mi padre murió antes de todo esto.

JAN

¿No tienes hermanos?

ANNA

Uno. Nació trece años antes que yo, pero no irá al frente, es un niño pequeño.

JAN

Un inmaduro...

ANNA

¡No! ¡Es más maduro que tú! Pero tiene el corazón de un niño.

JAN

Entiendo. Ten cuidado con esa piedra. ¡Mira al suelo!

ANNA

(Esquivando el obstáculo.) Por eso mi madre y él no se vienen conmigo.

JAN

Debe ser duro para ti. Debe ser duro dejarlos atrás.

ANNA

No... *(Se miente, sabe que su arrojo requiere una dosis de ceguera y necesita agarrarse a una consigna. Se miente. Se miente mal.)* No... Precisamente me voy para ayudarles... Para ayudarles... Una boca menos.

JAN

Pero también dos brazos menos.

ANNA

Aquí los brazos no sirven para nada. Cerraron la fábrica donde trabajaba.

JAN

¿No has probado a buscar suerte en el campo?

ANNA
¡Claro que sí!

· JAN
Pero…

ANNA
No se lo voy a contar a un hombre. La policía no me creyó, ¿por qué ibas a hacerlo tú?

JAN
Prueba a contármelo.

ANNA
No hay necesidad de revivir malas historias para saciar tu curiosidad.

JAN
¿Crees que al otro lado será más fácil?

ANNA
Allí hay trabajo. ¡Y sueldos dignos!

JAN
También te fríen a impuestos.

ANNA
Como aquí.

JAN

No esperes que abran sus brazos para recibirte.
Dirán cosas malas de ti.

ANNA

¿Cosas malas?

JAN

Piensa: ¿qué les llevas? Aparte de dos maletas
viejas con papeles…

ANNA

Mis brazos para trabajar.

JAN

Les llevas la certeza de la muerte, la crueldad
de una guerra, el miedo, el hambre, la miseria…

ANNA

Yo no voy a mendigar.

JAN

Todo lo malo que les pase será consecuencia
directa o indirecta nuestra. Siempre es mejor
culpar al de fuera.

ANNA

¿Por qué?

JAN

Les llevamos un espejo donde mirarse.

ANNA

Eres un pesimista.

JAN

Míralo como quieras, pero el lugar donde se cumplen los sueños no existe. Eso sí lo sabes, ¿no?

ANNA

Depende de cuál sea tu sueño.

JAN

Mi sueño es la paz. Pero soy consciente de que la paz es un espejismo. Que al otro lado no haya guerra ahora mismo no quiere decir que no la pueda haber dentro de poco.

ANNA

Mi sueño es el mar.

JAN

Pues esta no es la dirección, amiga...

ANNA

Lo sé, pero es el camino más corto para tener una vida digna. Ya buscaré el mar... Ya ganaré dinero y veranearé en la costa, en una casa de paredes encaladas, sin rejas en las ventanas, sin más candado en la puerta que un perro pastor y sin otra preocupación que observar a las gaviotas cuando avisen de la lluvia.

JAN

Es un buen sueño. Aunque tengo la seguridad de que pagaremos por ello un precio alto.

ANNA

Ya estamos pagándolo. Nos desgarran.

JAN

Para mí también es doloroso separarme de las personas a las que amo.

ANNA

Sin embargo, cuanto más me alejo, más libre, más leve, más sin peso me siento. Como si mi familia fuera una carga de la que me estoy librando. ¿Te pasa también a ti?

JAN

No los estamos abandonando. ¿Me oyes?

ANNA

¿No?

JAN

No. Todo lo que amamos pesa. El peso te recuerda que están ahí para cuando los necesites, como tu equipaje. ¿Por qué cargas, si no, con tanto? Esas dos maletas pesan más que tú...

ANNA

Antes de partir, no imaginaba que me asustaría la soledad. No imaginaba...

JAN

¡Por eso vienes conmigo, entonces! Te da más miedo la soledad que yo.

ANNA

Lo que me asusta es morir sola. ¿Has pensado alguna vez quién te cerrará los ojos cuando mueras? ¿Cuál será tu última mirada? ¿A quién oirás por última vez?

JAN

No estás sola. Ven. Acércate. Mira.

JAN *coge a* ANNA *de la mano y adelantan, titubeantes, unos pasos hasta el límite de la montaña. A sus pies, el abismo; al frente, un horizonte abrupto y escarpado, envuelto en el cobre manto de laderas que anuncian la otoñada.*

ANNA

Ten cuidado…

JAN *la agarra de los hombros y, por un momento, parece que quisiera empujarla precipicio abajo, pero algo en él hace que* ANNA *confíe y abandone su recelo. Apuntando con el dedo en dirección a las montañas,* JAN *susurra.*

JAN

No estamos solos. Este camino lo está haciendo, a escondidas, mucha gente. Fíjate bien. ¿Ves aquella colina de bancadas rectas que parecen gradas de un gran anfiteatro?

ANNA

Sí.

JAN

Si observas con atención, casi puedes adivinar a familias enteras recorriendo nuestros mismos pasos.

ANNA

No veo a nadie.

JAN

Se ocultan bien. *(Señalando esta vez hacia abajo, en dirección al valle que los espera.)* Mira aquellos chopos junto al río, alineados ordenadamente como el público que se sienta atento en la sala de un gran teatro, quizás haya entre sus sombras un grupo que ha esperado, como nosotros, a que vuelva a caer la noche para seguir andando. Y tal vez allí, a lo lejos, escondidos entre las zarzas, como en la fila de los mancos, haya una pareja de enamorados que huyen juntos.

ANNA
Agazapados como lobos que aguardan la oscuridad.

JAN
Somos lobos. Eso dirán de nosotros.

ANNA
No somos depredadores.

JAN
No estés tan segura.

ANNA
Hablo solo por mí.

JAN
Por ti también lo digo. No sabes de qué puedes llegar a ser capaz. El humano es el ser más

cruel. Los animales atacan para comer o defenderse, pero solo nosotros somos capaces de tener conductas violentas por el simple placer de hacer daño.

ANNA

¿No crees que haya personas buenas?

JAN

La misma persona que es capaz de lanzarse al agua para salvar a un desconocido puede ahogar con sus propias manos a otra. Que yo nunca haya matado no quiere decir que no sea capaz de hacerlo. Y ese miedo es el que me lleva a huir. No quiero empuñar un arma.

JAN *hace ademán de sacar algo de su bolsillo. Es una cartera, pero* ANNA *desconfía. Dentro guarda con cariño una foto.*

ANNA

¿Pretendes asustarme?

JAN

Mira.

ANNA

Por un momento pensé que...

JAN

Yo me voy por ella.

ANNA

¿Quién es?

JAN

Es mi novia. Nos casaremos en cuanto reúna
el dinero y pueda venirse conmigo.

ANNA

Es guapa.

JAN

No quiero que ella tenga que pasar por esto.
Cuando llegue al otro lado, encontraré trabajo
para los dos y podrá entrar por la puerta grande. Como tú. ¿Cómo se llama el contacto que
va a darte el visado?

ANNA

No lo sé.

JAN

¿Cómo lo reconocerás?

ANNA

Imagino que tendrá que reconocerme a mí.

JAN

¡Dios! ¡¿Cuánto te ha costado?!

ANNA

Nada...

JAN

María...

ANNA

¡No me mires así!

JAN

Te han estafado, María... ¡Escúchame! Es un timo. Has caído en la red. ¡Es una encerrona! Es posible que, en vez de un visado, lo que encuentres allí sea...

ANNA

¡¿De qué hablas?!

JAN

¿Cuánto te han pedido?

ANNA

(Agachando la cabeza, avergonzada como una niña ante su padre, titubeante y triste.) Cinco... O un poco más, quizás. Seis... No sé... Puede que... ¡Veinte mil! ¡¿Qué te importa a ti?!

JAN

¡¿Veinte mil?! Esto se está poniendo cada vez peor...

ANNA

Es lo que cuestan los trámites... ¡Y el favor de buscarme un trabajo!

JAN

¿Y por qué no te han mandado el visado a tu casa para que puedas dirigirte a la frontera sin problemas?

ANNA

¡Porque la correspondencia de ese tipo no llega nunca a su destino! ¡¿No sabes ya que saquean hasta las cartas de amor?!

JAN

Eso te han dicho... Veinte mil es más dinero del que puedes ganar en un año de duro trabajo aquí. ¡Veinte mil...!

ANNA

Pero en seis meses allí habré ganado el doble.

JAN

¿Dónde te han dicho que vas a vivir? En la misma casa donde vas a trabajar, ¿verdad?

ANNA

Sí. Claro…

JAN

Con todos los gastos descontados ya del sueldo, ¿no?

ANNA

Sí.

JAN

Dormitorio propio.

ANNA

Sí.

JAN

Diez horas de trabajo.

ANNA

Descanso los domingos… ¿Por qué pones esa cara? No es una estafa. Son gente seria. ¡Me los ha recomendado una vecina!

JAN

¿Tu vecina ya está allí?

ANNA

Irá la próxima primavera. El verano se ha terminado y el frío es malo para ella.

JAN

Ya.

ANNA

¡¡No son una mafia!!

JAN

Ve buscando un plan B cuando llegues a Bolter.

ANNA

¡¿Tienes tú acaso una opción mejor?! ¡¿Qué piensas hacer en Bolter?! Sabrás ya que allí no nos quieren merodeando. Las calles están patrulladas día y noche.

JAN

Lo sé. Allí somos considerados vagos y maleantes. Cuando llegue, me esconderé hasta que pueda saltar la valla o atravesar el río. Tengo un contacto, Ariel, que sabe más de lo que nunca dirá.

ANNA

Al final, todos hablan.

JAN

Él no, le cortaron la lengua… Y me va a ayudar,
como yo ayudé a su hermana. Ambos sabemos
dónde encontrarnos. Nos olemos los pasos.

ANNA

¿Te esconderán?

JAN

Tengo donde meterme. Hay mucha gente que
me debe favores. Será poco tiempo, quizás solo
un día… Únicamente hasta que Ariel me lleve
al punto donde cruzar.

ANNA

A mí me esperan en la plaza del ayuntamiento
el lunes treinta, a las doce en punto.

JAN

Quien te va a estar esperando, pequeña loba
sin nombre, es la policía fronteriza. Yo no iría.

ANNA

¿Por qué me tengo que fiar de ti más que de
ellos?

JAN

Porque estamos en la misma situación. Diga-
mos que… somos compañeros.

ANNA

¿Compañeros?

JAN

Compañeros de viaje... Colegas... Camaradas...
Amigos... ¡Llámalo como quieras!

ANNA

La amistad murió cuando empezó esta guerra.
¡Y tú y yo no somos amigos! ¿Entendido? No
somos amigos.

JAN

Entendido. *(Avanzan cabizbajos y en silencio. Solo
se oye el crujir de sus pasos que parece quebrar la
noche.* JAN *mira de reojo a* ANNA. *Sabe que está
llorando.)* No llores.

ANNA

No estoy llorando, a mí siempre me brillan
mucho los ojos.

JAN

Cuanto antes te des cuenta de que te han estafado, antes podrás buscar una alternativa.

ANNA

Si la alternativa se llama dinero, no me queda.

JAN

La alternativa es saltar o mojarte la espalda.

ANNA

¿Y después?

JAN

Después, camino… Caminar y buscar.

ANNA

¿Caminar y buscar?

JAN

Hay otra opción: regresar.

Avanzan en silencio. El crujido de las pisadas sobre las hojas que el otoño ha arrancado de los árboles marca el ritmo. Ellos son como esas hojas y ahora, más que nunca, lo saben.

ANNA

Mi casa tiene un pequeño huerto que mi hermano cultiva. En la puerta hay un rosal. Mi madre hace el pan cada mañana. Sé que nunca probaré un pan más rico.

JAN

¿De dónde eres?

ANNA

(ANNA *no va a dar datos concretos, pero se atreve a dibujar pinceladas expresionistas de la vida que deja atrás.)* Éramos felices. Trabajábamos mucho. No éramos pobres. Teníamos cientos de libros y cuatro vacas: Canela, Rubita, Ochenta y Mancha. Cada vaca nos daba casi veinte litros de leche diarios. Yo empecé a encargarme de ellas cuando mi padre enfermó. Dejé de estudiar. ¡Y aún tuve que madrugar más que antes! Mi padre nos daba órdenes desde la cama, me decía que tardaba mucho en ordeñar, pero le expliqué que, para sacar más leche, debía hablarle a la vaca, porque eso era como pedirle permiso. Y siempre es mejor pedir permiso que perdón. Él me reñía. Desde la cama, me enseñó Aritmética y Literatura. Desde la cama, podría haber llevado un gobierno, como de joven llevó la imprenta en la que trabajó. No necesitaba ponerse en pie para mandar. Ni tampoco gritar. Mi padre fue un buen hombre, una persona justa. ¡Hasta para morir tuvo dignidad! Me alegro de que no esté vivo para ver esto.

JAN

Pasamos la infancia viendo la guerra en las noticias. Pero era la guerra de otros. Un día se acercó sin que nos diéramos cuenta. Entró sigilosa y se extendió como una mancha de aceite, ensuciándolo todo.

ANNA

De las cuatro vacas que teníamos, solo nos queda una, Rubita, la más vieja. Se nos llevaron tres. «Para la causa», dijeron. Pero eso es robar... ¡Eso es robar y no hay ninguna causa que justifique un robo!

JAN

Se llevaron a mi padre y a mi hermano mayor al frente. Al principio, a mí me salvó la diabetes. Dejaron que me quedara a cargo de mi madre y de mi hermano pequeño, pero a mi padre y mi hermano los sacaron de la cama a punta de pistola... No lo entendí. ¡Si ellos no sabían, siquiera, disparar...! ¡Si la guerra no era nuestra...! ¡Si, ganase quien ganase, sabíamos que perderíamos...!

Se detiene a tomar el aire que por un momento le falta. Ya no caminan, pero el tiempo avanza.

No los volvimos a ver con vida. Al poco nos los trajeron en cajas. Habíamos pagado para enterrarlos, mi madre quería saber dónde ir a llorarles. Pagamos para que nos los devolvieran... ¡Muertos! ¿Entiendes? Mi madre los besaba como si aún estuvieran calientes. ¡Mi pobre madre! Se secó de miedo y rabia... Mi hermano pequeño no fue capaz de llorar, recuerdo su mirada vacía, sus ojos sin alma... Le habían robado de un golpe la infancia. Una noche me preguntó: «¿Y tú? ¿Vas a morir o a matar?». *(Mirando a* ANNA *a los ojos, buscando en ellos los restos del naufragio.)* Ninguna de esas dos son mis opciones.

Los ojos de ANNA *son un océano insondable, lleno de ahogados con nombre propio.*

Ya no nos hablamos.

El silencio los envuelve como un abrazo tibio. Lo que callan es más grande que todo cuanto puedan llegar a decir. Se escucha a lo lejos el ulular de una lechuza.

Hay quien ha perdido algo más que una vaca...

ANNA
Yo entré a trabajar en la fábrica gracias a la mediación de un amigo de mi padre. Cuando la cerraron porque no había producción, me llevó a su campo. De sol a sol, por un sueldo de esclava. *(Traga saliva como un veneno.)* Quiso cobrarme el favor. Varias veces... *(Coge aire.*

Aire limpio. Aire propio.) Yo sí sé disparar. Sé disparar y él tenía un arma.

JAN

(Sale, con asombro, de su propio relato, de su atormentado pensamiento...) ¡¿Lo mataste?!

ANNA

No, pero la próxima vez no me temblará el pulso. ¡Ten cuidado tú también conmigo!

JAN

Yo nunca te haré daño.

ANNA

No lo sabes. Dices que podrías matar.

JAN

Sí lo sé. Nunca te haré daño.

ANNA

¿Por qué estás tan seguro?

JAN

Porque eres bonita.

ANNA

(Se aleja de JAN, *como quien ha visto a un lobo.)* ¡Es lo más horrible que me han dicho nunca!

JAN

Lo siento, pero es una realidad. La belleza tiene salvoconducto. Tienes más probabilidades de sobrevivir si eres bonita.

ANNA

¡También tienes más posibilidades de ser tenida por carne! Hay hombres que codician la belleza con un ansia que no tiene freno. ¡Qué condena atroz, buscar en un cuerpo bello la calma de los instintos! Pero la belleza no acepta ser poseída. ¡Alguien tendría que gritarlo! ¡Alguien tendría que publicarlo en grandes luminosos! ¡Escuchad bien! Este cuerpo no os pertenece... ¡En mí no aplacaréis vuestra sed! ¡Bebed de vuestro propio manantial! Y a ti te lo advierto, muchacho. ¡Más te vale no acercarte a mí o yo sí que te haré daño!

JAN

Eres brava.

ANNA

¡No quieras saber cuánto!

JAN

Tranquila, no tengo intención de comprobarlo. Mira... Está amaneciendo.

ANNA

Habrá que buscar refugio. Ese castañar puede ser seguro.

JAN

(Saliendo del camino, como el que se apea de un mundo en movimiento y repentinamente la quietud lo marea.) Sí. Junto a aquellas rocas podremos esperar a la noche.

Avanzan cansados, no tanto de andar, como de cargar con un pesado bagaje de golpes y heridas.

ANNA

Duelen... Estoy deseando quitarme los zapatos... ¡Y lanzarlos por ese precipicio!

JAN

No sirven para bailar tantas horas, ya te lo dije... Esta verbena es larga.

ANNA

No sirven para huir, pero cuando llegue, los limpiaré bien, les sacaré brillo... ¡Y me pasearé con paso firme por la Calle Mayor!

Llegando al fin a las rocas, improvisado hogar, se descalzan.

JAN

(*Cogiendo uno de los zapatos que se ha quitado* ANNA.) Nacieron para dar pasos de baile, pero esto es una guerra...

ANNA *le arrebata con determinación el zapato a* JAN *y lo coloca con mimo y pulcritud junto al otro, como si ambos tuvieran que aguardar la llegada de la noche para volver a la vida.*

ANNA

Pienso volver a bailar.

JAN

¿Baila usted conmigo?

ANNA

¿Descalza?

JAN

Descalza.

ANNA

¿Sin música?

JAN

La de la noche... Escucha...

ANNA

No sé... Es que... No creo que... Vamos que
yo...

JAN

¡Tú sígueme!

*Se animan a danzar, a pesar del cansancio. Son
jóvenes a los que les han robado la risa y necesitan
recuperar ese espacio festivo que les arrebataron, como
una efímera conquista que los animara a continuar.
En una de las vueltas,* ANNA *se pincha con una aguja
de cedro y se detiene brusca y tristemente.*

ANNA

No ha sido buena idea.

JAN

Lo siento.

ANNA

No es culpa tuya.

*Sacan, cabizbajos, cada uno su manta y, envol-
viéndose en ellas, se sientan lentamente en la tierra
que los va a cobijar.*

JAN

Venimos templados de andar, no debemos en-
friarnos, han bajado las temperaturas y el rocío
que se cuela por los huesos puede ser mortal.
¡Hagamos una candela!

ANNA

Ayer pensé que me helaba, pero no creo que
sea buena idea. El humo nos puede delatar.
Tengamos paciencia, pronto saldrá el sol y nos
calentará.

JAN

En ese caso... Si a ti no te parece mal, podría-
mos compartir manta...

ANNA

¿Compartir manta?

JAN

Démonos calor el uno al otro.

ANNA

¡No tengo tanto frío!

JAN

Como quieras...

Se tumban en el duro suelo, muy cerca uno de otro, buscando el calor mutuo, pero sin llegar a rozarse.

¿Por qué no me cantas esa canción que cantabas cuando te encontré?

ANNA
¿Qué canción?

JAN
La de la luna... Cántame hasta que me duerma.

ANNA
No la recuerdo.

JAN
Por favor... Déjame sentir un poco de hogar.

ANNA
(Cantando cansada.)
Baja, luna, baja,
alumbra el camino,
guíame mis pasos,
hasta mi destino.
Baja, luna, baja,
camina conmigo;

la noche está oscura
tengo miedo y frío.
Pues si tú no bajas,
al cruzar el río,
morderán los lobos
el corazón mío.

Y poco a poco se van quedando dormidos.

Escena III

Va amaneciendo, mientras Anna *y* Jan *duermen, ateridos, en la misma posición, sus cuerpos parecen fríos despojos a la luz del sol. Suena la alondra, alegre mensajera del día, y anuncia la entrada de* Brigitta, *la madre de* Anna, *quien, en camisón y descalza, se dirige hacia su hija, a la que, con dulces susurros, despierta.*

Brigitta
Anna... Anna... (Brigitta *se acerca a ella y toca con dulzura su hombro, como si la despertase para ir a la escuela, en un gesto cotidiano y maternal.)* ¡Hija!

Anna
¡¡Mamá!!

Brigitta
¡Hola, mi vida! Te llamaba para advertirte de algo.

ANNA
Mamá... ¿Cómo estás?

BRIGITTA
Muy bien, cariño. ¿Cómo estás tú? (*Le retira amorosamente el pelo de la cara y trata de hacerle una trenza, como si aún fuera la niña de antes de la guerra.*) Te llamaba para avisarte, Anna. He oído en la radio que van a poner puestos de control también en los caminos secundarios. Torturan a los huidos hasta que confiesan lo que ellos quieren escuchar. Dicen que les arrancan los pezones, la lengua y hasta los ojos. Así que, si no quieres que te interroguen y, con suerte, te traigan ciega, no puedes seguir por aquí. Mejor por senderos y campo a través.

ANNA
¿Cómo está el hermano?

BRIGITTA
Aquí lo tengo a mi lado. Te manda un beso. Está genial, bueno, tú sabes... Sigue enfadado. No entiende por qué te has ido. Cree que él es el culpable, que te vas porque te quedas con hambre... Que come demasiado y no trae un jornal... Pero se le pasará. ¡Ya lo conoces! Además, ha venido tía Ágata a quedarse con nosotros, ella también está sola ya.

ANNA

¿El tío?

BRIGITTA

Sí, cariño… Ya está con el primo. Le he dado
a la tía tu cama, ¿no te importa? Así nos ayu-
damos unos a otros.

ANNA

Claro, así estáis las dos más acompañadas.

BRIGITTA

Pero le hemos tenido que abrir la puerta al
perro… Ya no teníamos ni pan duro para darle.

ANNA

¡Pobre Tango!

BRIGITTA

Y ¿sabes qué? Vuelve. ¡Siempre vuelve! ¡En ningún lugar como en casa! El muy gamberro ha
salido cada mañana a buscarse la vida, pero
ha vuelto cada noche. *(Le da un beso en los pies
descalzos de su hija.)* Hasta anoche… Anoche me
quedé esperándolo.

ANNA

Pobre Tango.

BRIGITTA

Creo que se lo han comido. Hay tanta hambre...

ANNA

Cualquier día os quitan también a la Rubita. Escóndela bien, mamá.

BRIGITTA

¡No te preocupes, Anna! Tú ten cuidado y no mires para atrás.

ANNA

¡En cuanto gane el primer sueldo, os mandaré dinero! ¡No pasaréis pena! ¡Recuperaremos lo que gastamos en los papeles y ganaré más! ¡Mucho más! No consentiré que paséis hambre.

BRIGITTA

No tenemos hambre... Anna... No llores. Tenemos leche...

ANNA

No lloro, mamá. Sabes que me brillan siempre mucho los ojos.

BRIGITTA

(Secándole las lágrimas y señalando con la mirada a JAN.) Ten cuidado con los bandoleros.

ANNA

No es un bandolero... Es buen tipo. Y ya me conoces, sé defenderme.

BRIGITTA

Abrígate... No cojas frío.

ANNA

Sí, mamá...

BRIGITTA

Y no hables con desconocidos...

ANNA

No, mamá.

BRIGITTA

Y recuerda lo que te digo, sal del camino. Ve por el campo.

ANNA

Sí...

BRIGITTA

Ten precaución con los lobos.

ANNA

Sí, mamá.

BRIGITTA
   Y no cruces por el río, Anna.

ANNA
   No, mamá.

BRIGITTA
   (Marchándose lentamente.) Por el río, no...
   Por el río, no, Anna...
   Que no sabes nadar...
   Que no sabes nadar...

   ANNA *vuelve a acostarse en su improvisado camastro mientras desaparece* BRIGITTA *entre la bruma de la mañana y canta de nuevo la alondra.*

Escena IV

Jan y Anna siguen durmiendo bajo el sol cuando se escucha un ruido que despierta a Jan, quien súbitamente se levanta y zarandea a Anna.

JAN
   ¡María! María, despierta...

ANNA
   ¿Qué sucede?

JAN
   Han pasado cerca... Están vigilando a conciencia los caminos. ¡No estamos seguros!

ANNA
   Lo sé.

JAN
   ¿Lo sabes?

ANNA

Tendremos que ir campo a través. No nos queda más remedio.

JAN

Tardaremos más.

ANNA

¡No llegaré el día treinta a Bolter...!

JAN

Nadie te va a estar esperando allí. Asúmelo ya.

ANNA

¿Qué otra posibilidad tengo?

JAN

Siempre hay puertas que se abren. No te preocupes, te ayudaré.

ANNA

¿Por qué?

JAN

¿Por qué, qué?

ANNA

¿Por qué me ayudarás? ¿A cambio de qué? No tengo para pagarte el favor...

JAN

Los favores, si se pagan, dejan de ser favores. Lo hago porque somos amigos. ¡Venga, ponte los zapatos!

ANNA

De acuerdo, pero llamemos a las cosas por su nombre. Somos aliados.

JAN

Como lo quieras llamar. ¡Dejémonos de charla! Estamos en peligro. Pero no llegarás muy lejos con tanto equipaje. Te sobra, como poco, una maleta.

ANNA

Llevo lo imprescindible. Ya tuve que dejar muchas de mis cosas atrás…

JAN

Tendrás que deshacerte de lo que no te servirá para salvar la vida.

ANNA

¿Cómo sabes que algo no te va a servir?

JAN

No se sabe, tienes que predecirlo. Quédate con una muda, la manta y las cucharas de plata.

ANNA

No llevo cucharas de plata.

JAN

Pues lo que sea que lleves de valor.

ANNA

Todo tiene, en algún sentido, valor.

JAN

¡Trae, te ayudaré a seleccionar!

ANNA

¡Suelta eso!

JAN

¿Qué llevas aquí, además de papeles?

ANNA

Nada que te importe.

JAN

¿Son documentos comprometedores?

ANNA

No.

JAN

Entonces, ¿qué son?

ANNA

¡Dame! ¡Son mis cosas! ¡Son mis escritos!

JAN

¿Tus escritos?

ANNA

Soy poeta.

JAN

¿Poeta? ¿Poeta? Pero si eres...

ANNA

¿Qué? Si soy... ¿qué? Una vaquera sin estudios, ibas a decir... Mi padre me enseñó Literatura. He leído a los clásicos. Y escribo desde que aprendí a unir letras.

JAN

¿Y de qué crees que te van a servir? ¿Para hacer candela?

ANNA

Pensaba venderlos.

JAN

No quiero desilusionarte, pero nadie va a comprar lo que pueda haber escrito una pobre refugiada.

ANNA

No voy a ser una refugiada.

JAN

¿No? ¿Una exiliada te suena mejor? ¡¿Emigrante te gusta más?!

ANNA

¿Tú sabes lo que verdaderamente somos? Desterrados. No huimos, ¡nos echan!

JAN

Para ser desterrado, tendrían que haberme juzgado y condenado a irme de mi patria. ¡Yo me voy porque quiero!

ANNA

¿Y no hemos sido tácitamente condenados a abandonar el país? Hay muchas formas de forzar nuestra marcha. Nos echan con jarros de miseria, de miedo y de odio.

JAN

Sea como sea, no te van a servir esos escritos.

ANNA

¿Noches en vela escribiendo para dejarlo todo tirado a la intemperie en un camino?

JAN

Así es, suelta lastre. La poesía no te va a salvar la vida…

ANNA *comprende que lleva razón, el arte es inútil en toda guerra, así que saca de su equipaje, con pesadumbre, un único cuaderno, el más valioso para ella, lo abraza con angustia y vuelve a cerrar la maleta, para después apartarla a un lado y taparla con unas ramas.*

ANNA

Al menos, este…

JAN

(Leyendo el título por encima del hombro de ANNA.*)*
Quien vende la leche. ¿De qué va?

ANNA

No quieras saberlo. Es poesía y la poesía es inútil, pero quién sabe si algún día me servirá, aunque sea, para calzar un mueble.

JAN

Quien vende la leche es un título atroz. ¡A no ser que hables de vacas o vengas a contarnos el cuento de la lechera…!

ANNA

Es de un refrán… ¿Se te ocurre otro mejor?

JAN

Mujer lobo.

ANNA

Ese sí que es un título horrendo. Y si lo de lobo
va por mí, te diré que haces bien en tenerme
esa consideración. Soy feroz, si se me ataca.

JAN

No te ofendas.

ANNA

¡Y generosa...! ¡Una loba fue la que amamantó
a Rómulo y Remo!

JAN

No pretendía ofenderte.

ANNA

Has hecho que tire mi trabajo de muchos años,
no es ofendida como me siento.

JAN

Algún día recogerás esa maleta que has dejado
atrás. Publicarán tus libros. Recibirás premios.
Parece que lo veo... Tu nombre en los titulares
de grandes periódicos...

ANNA

Mira al frente, que te vas a caer.

JAN

Tus libros en las mejores librerías de todo el país. Entrevistas en la tele... Tú, vestida de verde, sobre la alfombra roja de los premios Nobel...

ANNA

Es azul. La alfombra roja de los Nobel es azul. Como vidente no vas a poder ganarte la vida. Ve pensando en otra cosa.

JAN

Seré un vidente daltónico.

De repente, se escucha una voz de mujer acercarse, cantando muy fuerte una nana, y ambos se esconden.

Escena V

La mujer que canta entra en escena. Es Úrsula*, lleva en los brazos a un bebé de meses y al hombro una pequeña canastilla. Su mirada extraviada y su descuidada vestimenta denotan un alarmante abandono personal, fruto de un fuerte trastorno.* Jan*, prudente, tira del brazo de* Anna *para hacerla retroceder, pero esta se zafa con intención de acercarse a la desconocida, atraída por su canto como una polilla por la luz.*

Úrsula
   (Cantando, mientras Anna *la escucha sin atreverse a interrumpirla.)*
        Lucerito de mi vida,
        quién te pudiera guardar
        en la canal de mi pecho
        o en las olitas del mar.
        Lucerito de mi vida,
        candelita de mi hogar,
        estaré siempre contigo,
        para siempre te he de amar.

Y en esa silla vacía,
sola te habré de esperar.
Lucerito, lucerito,
una, dos, tres vidas más.
Mientras tu madre esté cerca,
nada a ti te va a faltar,
haga calor o haga frío,
haya guerra o haya paz.
Lucerito de mi vida,
aunque se vuelva a nublar,
cantaré para que duermas
y en el cielo brillarás.

JAN

(Viendo que ANNA *tiene intención de hablarle, la interpela, en fuertes susurros, tratando de retenerla.)* ¿Dónde vas, muchacha? Te va a ver...

ANNA

¿No ves que es inofensiva? Lleva un bebé en los brazos, no un arma. ¡Es una madre!

JAN

¿Y qué?

ANNA

¿Estás ciego? Necesita ayuda...

JAN

Podría delatarnos. ¡Y aunque no lo veas, puede ir armada! ¡Podría matarnos!

ANNA

No lo hará. También ella está huyendo. *(Se dirige hacia* ÚRSULA *con prudencia.)* ¿Está usted bien?

ÚRSULA

Sí, pero mi niño tiene fiebre... Voy en busca de un buen médico. Mi niño tiene fiebre. Es el único que me queda. Y a mí se me ha secado la leche. No puedo amamantarlo. *(Sacándose los pechos y dejándolos al aire, como si fueran mercancía.)* Mire... Me hierven los pezones y no sale nada. Mis pechos son de carbón.

ANNA

(Al taparle los pechos delicada y pudorosamente, observa al bebé. Se da cuenta entonces de que está frío, rígido, exangüe. Horrorizada, hace un gesto a JAN *y se dirige a él casi sin voz.)* Está muerto, Jan... El niño, Jan... Está muerto...

ÚRSULA

Necesito medicamentos.

ANNA

Por este sendero, señora, por este sendero, no
encontrará médicos.

ÚRSULA

¿Dónde están sus hijos?

ANNA

No tengo hijos.

ÚRSULA

Los míos están muertos. Solo me queda este.
Y tiene fiebre.

ANNA

Debería volver a su casa.

ÚRSULA

Perdí la casa... Y al hombre. Y a los hijos. Sa-
lieron volando por los aires. Mi pequeño y yo,
no... Habíamos salido en busca de un médico,
porque tiene fiebre. No tengo casa a la que
volver. Soy una pordiosera. Pido dinero. Me
vendo. Hay coches que paran en mi camino.
Yo les dejo hacer a cambio de algo que llevar-
me al estómago. No quiero hacerlo más. Por
eso he salido de la carretera. Quiero cruzar la

frontera. Mi niño tiene hambre y yo solo tengo almendras.

ANNA

¿Quiere comer conmigo? Puedo ofrecerle leche condensada, cecina, castañas... Le curaré los pechos. Están supurando... (ANNA *se acerca a ella, prudente y fraternal.*) Pierda cuidado, tengo vacas. Y una teta no deja de ser una teta.

ÚRSULA

¿Cuántas vacas tiene? Quien vende leche nunca tiene hambre.

ANNA

Ese refrán siempre lo dice mi madre... Acompáñeme, la ayudaré.

ÚRSULA

¡No puedo pararme, tengo mucha prisa! Mi niño tiene fiebre. ¡Necesito un médico!

ANNA *se acerca al pequeño. Trata de ayudarla y le habla con calma y cariño. La mueve una profunda piedad.*

ANNA
Debería descansar.

ÚRSULA

No me entretenga más, vecina. Tengo que irme.
No quiero que me cojan y me obliguen a volver atrás. No tengo casa a la que regresar. *(Y
sacando de una bandolera que lleva colgada un
puñado de almendras, alarga el brazo ofreciéndo-
selas.)* Tenga. Son dulces. *(ANNA no se atreve a
despreciárselas.)*

ANNA

Venga con mi compañero y conmigo. Haga el
camino con nosotros.

ÚRSULA

¿Está loca? Cuatro son muchas personas para
esconderse. Esto no es una peregrinación.

ANNA

Pero su bebé, señora... Su bebé está... El bebé
está frío, señora... Ya no... Ya no respira... Debería enterrarlo... ¿Quiere que la ayude?

ÚRSULA

¡Loca! ¡Apártese de nosotros! ¡Déjenos seguir
nuestro camino! ¡¡Loca!! *(Apretando contra su
pecho, posesiva, al bebé muerto y volviendo al camino como quien sube a una cinta transportadora.)*

¡¡¡Loca!!! *(Vuelve la cara a* ANNA *con odio.)* ¡¡Yo te maldigo, loca!! *(Baja la barbilla a su pecho, replegándose en su miseria, mientras desaparece besando la frente fría de su hijo y de reojo mira a* ANNA.*)* ¡Yo te maldigo! Yo te maldigo. Yo te maldigo…

Y se hace la oscuridad.

FIN DEL PRIMER ACTO

SEGUNDO ACTO

Escena I

Llevan varios días caminando campo a través y en el aspecto de ambos se nota. Están ajados y polvorientos, pero conforme avanzan, sus ojos van recuperando brillo. Anna *ha aligerado al máximo su equipaje. Todas sus cosas van en un hatillo hecho con una bonita blusa que un día fuera blanca, la manta cuelga de su hombro y el resto de la ropa va anudada al cuerpo. Ha ido dejando todo lo demás en el camino. Esa liviandad le aporta, en cambio, cierta seguridad. Está amaneciendo. Siempre amanece. Y en ese tipo de certezas subyace su esperanza, que no sucumbe al desaliento del profundo cansancio físico.*

ANNA
   Para, Jan. Descansemos. Me falta el aire.

JAN
   Ya casi se huele el valle y aún no ha amanecido. Sigue un poco más. Allí hay frutales. Nos hartaremos de fruta.

ANNA

Tendrán dueño.

JAN

También la tierra que estás pisando lo tiene...
No hay puñado de barro que no tenga nombre,
pero en tiempos de guerra no hay propiedad
que no perdone el hambre.

ANNA

No, Jan. No pienso robar.

JAN

Pediremos permiso, tonta. ¡Pero vamos, sigue!
¡Piensa en los manjares que vamos a comer!

ANNA

No puedo más, Jan.

JAN

Queda poco. ¡Un empujoncito! Ya casi se ve...

ANNA

Sigue tú solo. Suelta lastre.

JAN

Comamos algo, si quieres, para coger fuerzas.

ANNA *se deja caer, rendida, en el suelo.*

ANNA

No tengo ya hambre.

JAN

Me como, entonces, lo tuyo.

ANNA

Hasta aquí hemos llegado juntos, Jan.

JAN

Pues, entonces, venderé *Mujer lobo* y seré yo quien me haga rico y veranee en la costa, en una casa encalada y sin rejas. ¿Qué nombre quieres que le ponga al perro?

ANNA

Jan...

JAN

Jan no es nombre de perro. Le pondré Gregorio, que ese nombre suena muy bien. Gregorio. O Gregorina si es una perra. Lo malo va a ser cuando me entrevisten... Yo no tengo sensibilidad para escribir. ¡Pero, bueno...! ¿Tú no dices que soy un listillo? ¡Improvisaré!

ANNA

Serías un buen poeta, no creas...

JAN

(Mientras saca algo de comer de sus alforjas.) Podré hacerme pasar, entonces, por el autor. Pondré la cara que pones tú cuando dices algo pedante.

ANNA

¡Tonto!

JAN

(Imitándola y modulando la voz.) Diré algo así como: «Amadérrimos lectores...».

ANNA

Amadérrimo está mal dicho. Además, yo no hablo así.

JAN

(Mientras empieza a comer.) Tú no te oyes...

ANNA

Claro que me oigo...

JAN

Sí, pero desde dentro.

ANNA

(Mirando la cecina añeja que se está comiendo.) ¿Está rico?

JAN

Es comida.

ANNA

Comes siempre con gusto. Saboreas... Te deleitas...

JAN

Claro, como con hambre.

ANNA

Pero no devoras. Mi padre decía que, por su forma de comer, se sabe cómo es un hombre. Tú no eres un gañán. ¿Quién eres?

JAN

El mío decía que hombre que no bebe no es de fiar.

ANNA

Tú no bebes.

JAN

No te fíes de mí, entonces...

ANNA

Me estás dando hambre.

JAN

Toma un poco de cecina. Está seca como goma de mascar, pero así dura más en la boca.

ANNA

Jajajajaja

JAN

¿Te ríes? ¿Te ríes de mí?

ANNA

(Metiéndose un trozo en la boca.) Jajajajaja.

JAN

No te rías, que te vas a atragantar. *(Y más se ríe ella.)* Te lo digo en serio… No te rías.

ANNA

Pues no me hagas reír…

JAN

¡Eso! La culpa siempre del bufón.

ANNA

(Atorada.) Agua…

JAN

(Imitándola, mientras le alarga la cantimplora.) A… gu… a…

ANNA

(Sigue riendo.) Al final, me va a sentar mal. *(*ANNA *bebe un trago, pero al coger en peso la cantimplora, se da cuenta de que queda poca.)*

JAN

Sí, se nos está acabando, pero no te preocupes, en el valle hay pozos y, llegando al riachuelo, podremos lavarnos.

ANNA

(Levantándose con visible esfuerzo.) Vamos, entonces. *(Oliéndose por el escote de la blusa.)* Me va haciendo falta...

JAN

¿Estás mejor?

ANNA

Sí. La risa cura.

JAN

Me lo apunto para cuando tenga que hacerme pasar por ti... *(Imitándola.)* La risa cura.

ANNA

Jaaan...

JAN
¿Me llamas a mí o a tu perro?

ANNA
Jan... *(Y señala al cielo.)* Es de día.

A lo lejos se escucha el agreste canto de cencerros de cabras.

Escena II

Han llegado al valle. Un sol infante hace estallar el fresco verdor ante sus ojos, como un canto de esperanza mayor que el miedo. Sueltan la carga que llevan pegada al cuerpo y se tiran de bruces al alegre riachuelo para beber con una sed de siglos. Al principio con ansia y después con deleite.

ANNA
(*Secándose los ajados labios.*) Nada como el agua fresca.

JAN
Pues mira allí...

ANNA
¡Manzanas!

JAN
Y uvas... ¡Allí hay uvas!

ANNA

¡Uvas, Jan! ¡Uvas!

JAN

Uvas dulces... Las últimas del otoño.

ANNA

Pero está vallado... ¿No es aquello una valla?

JAN

¡Yo me salto!

ANNA

¡No, Jan! ¡Estamos a plena luz del día!

JAN

¿Tú ves a alguien por aquí? Además, mírame,
si me quedo quieto, me confundirán con el es-
pantapájaros.

ANNA

Pero...

JAN

Le pagaremos, mujer, le pagaremos.

ANNA

¿Con qué? No tenemos nada...

JAN

Le dejaremos una nota con nuestros nombres.
Como un pagaré... ¡Dame una hoja en blanco
de tu cuaderno!

ANNA

En blanco... En blanco me quedan muy po-
cas... Si tengo alguna idea, no tendré dónde
escribirla.

JAN

Pues fíjate entonces si con esa hoja le estás
dando pago... Quien da lo que no le sobra da
más de lo que puede.

ANNA

*(Sacando el cuaderno del hatillo y arrancándole
una hoja con pena.)* Toma...

JAN

Dame uno de tus lápices.

ANNA

Aquí tienes. ¿Qué vas a poner?

JAN

No sé. Ya se me ocurrirá algo cuando esté dentro. Espérame ahí detrás.

Se guarda el papel en el bolsillo y el lápiz en la oreja y sale ufano, dando un brinco. ANNA *se queda sentada junto al riachuelo, hojeando su cuaderno, como quien contempla un incunable, pasando las páginas con delicadeza y, ante un impulso, decide escribir algo.*

ANNA

Querida... Querida mamá... Son ya... cuatro... Son ya cuatro... ¡No! Son ya seis semanas... Son ya seis semanas desde que llegué a esta preciosa... ciudad. Cuanto más conozco... a la gente de aquí, más me gusta... este país. Todo el mundo es... es bueno... No... Todo el mundo es amable... conmigo y mi trabajo es... reconfortante. He mandado mis poemas a un... a un concurso. Presiento que voy... a tener... suerte y pronto... estarás orgullosa... de tu hija. He conocido a un chico, Jan... que me hace... reír. Es moreno y... apuesto. A ti te gustaría, porque se parece... a papá. Es listo y habla... mucho.

De repente, a lo lejos, se escuchan unos perros ladrando con violencia. ANNA *se alerta. Al ponerse en pie, se oye un disparo que anuncia lo peor.*

ANNA

¡¡¡Jan!!! (ANNA *se incorpora movida por una fuerza incontrolable y corre a su encuentro.)*

Escena III

ANNA *carga sobre sus hombros a* JAN, *que está mal-
herido. Le ha alcanzado el tiro del hortelano y va
sangrando.*

ANNA
    ¿Dónde te ha dado?

JAN
    Aquí. En el muslo...

ANNA
    ¿Tienes dentro la bala?

JAN
    No le ha gustado lo que ha visto y ha salido.

ANNA
    ¿Te duele mucho?

JAN

 ¿Es una pregunta?

ANNA

 Vamos a refugiarnos en alguna parte.

JAN

 No. Cojamos nuestras cosas y salgamos corriendo de aquí.

ANNA

 No puedes avanzar mucho más sin que te cure. ¡Te estás desangrando y eres diabético!

JAN

 Pues déjame aquí... Vete corriendo tú.

ANNA

 ¡¿Qué tonterías dices?! Te haré un torniquete.

JAN

 Ponte a salvo.

ANNA

 (Rompiendo una de sus bonitas blusas.) ¡Extiende la pierna!

JAN

 Esa es tu preferida...

ANNA

¡Que te calles, joder! ¡Extiende bien la pierna!

JAN

¿Por qué no me dejas?

ANNA

Porque eres guapo. Los guapos tienen más probabilidades de sobrevivir. ¡Calla y respira fuerte, que esto te va a doler!

JAN

(Se retuerce de dolor.) ¡Ah! *(Cogiendo de nuevo
aire.)* ¿Cómo aprendiste?

ANNA

Tengo vacas... Y una pata es una pata. ¿Te duele?

JAN

(Trata de ahogar un grito de dolor.) ¡Ah!

ANNA

Mejor. Mucho mejor ya. ¿A que sí?

JAN

¡Ah! *(Tomando aire.)* Déjame y vete.

ANNA

Tengo que coserte.

JAN

¡¿Aquí?! Ese hombre va a dar el chivatazo y van a buscarnos cerca. Sabe que me ha alcanzado y que no llegaré muy lejos. La guardia... La guardia lleva perros. Los perros huelen la sangre y yo... Yo he ido dejando un bonito reguero.

ANNA

Un par de kilómetros arriba, pasamos por unas ruinas, ¿recuerdas? Puede ser buen sitio para refugiarnos unos días mientras te curas. En menos de una semana, seguro que ya estás bien. Allí te coseré la herida. ¿Ves como sí servía mi costurero?

JAN

Al final, te servirá hasta la poesía.

ANNA

Y tú lo verás. Pero no hables más. Apóyate en mí y camina.

JAN

Deberías irte.

ANNA

No te canses. Esto es lo que haremos: nos instalaremos en las ruinas unos días, yo bajaré al río a por agua y me saltaré por la noche a coger fruta.

JAN

¿Quieres que a ti también te disparen?

ANNA

Les pagaré...

JAN

No. No quiero que tengas que... ¡No quiero que les pagues!

ANNA

¡Calla!

JAN

Perderás mucho tiempo, si te quedas conmigo.

ANNA

Todo el tiempo se perdió cuando dejamos el camino. Además, esta noche no hay luna. No íbamos a avanzar demasiado.

JAN

Queda tan poco para Bolter. Desde aquí se intuye la frontera. Estás ya tan cerca de tu sueño...

ANNA

Sí, pero recuerda que tú eres mi plan B.

JAN

Pero esto no estaba en el plan.

ANNA

Este es el plan C.

JAN

¿Y en qué consiste?

ANNA

Calla y camina. Un poco más. Ya casi se ven las ruinas.

Continúan un tramo andando bajo un silencio cómplice. No les hace falta decirse nada porque han aprendido a leerse en los abismos.

JAN

María…

ANNA

¿Qué?

JAN

Al final, va a resultar que somos amigos.

ANNA

¡Ah, no! ¡Eso sí que no!

JAN

(Caminando ahogado, pero como siempre con ánimo.) ¿Amantes, entonces?

ANNA

Calla y no digas tonterías, que necesitas el aliento para llegar hasta ahí arriba.

JAN

Yo creo que haríamos buena pareja.

ANNA

¿Quieres dejar de hablar?

JAN

Hablar me anima.

ANNA

Ya estamos llegando.

JAN

Si nos hubiéramos conocido antes...

ANNA

Un poco más.

JAN
¿Tú no lo crees?

ANNA
Yo lo que creo es que deliras.

*Se escucha el lejano rumor de cencerros, que trasla-
dan a* ANNA *a su casa y a su niñez, como una alegre
y grotesca comitiva de bienvenida.*

JAN
María...

ANNA *está melancólicamente ausente. Su pueblo,
su casa, su familia... ocupan ahora sus pensamientos.
Quizás todo sea un mal sueño y mañana despierte
en su cama. Quizás la guerra esté lejos y los muertos
sean de otros. Quizás...*

JAN
María... María... ¡María!

ANNA
¿Qué?

JAN
Gracias.

Escena IV

Acomodados ya en las ruinas, Anna *ha improvisado un camastro con unas ramas sobre las que ha colocado su manta para que* Jan, *que ya tiene la pierna vendada, se tumbe. Es de noche y no hay luna. La oscuridad es casi total.*

JAN

¿No duermes?

ANNA

No puedo, me he acostumbrado a dormir de día.

JAN

¿Tienes frío?

ANNA

(Mintiendo, como una madre compasiva.) No. Entre estas cuatro paredes, estamos como en casa.

JAN

A falta de un techo, esto sigue siendo dormir
al raso… Podemos echarnos juntos. No pienso
ni rozarte. Estoy helado.

ANNA

Tienes fiebre… *(Y se mete en el camastro con él,
sintiendo un repentino e inconfesable confort de
hogar.)*

JAN

Lara se enfadaría si supiera que he dormido
con una muchacha bonita, pero no se lo dire-
mos nunca.

ANNA

¿Lara?

JAN

Mi novia. Te he dicho que vamos a casarnos en
cuanto consiga un visado para ella, ¿no?

ANNA

Pues pienso contarle que te has acostado conmigo…

JAN

(Se incorpora, enfadado, de un salto.) ¡No! ¿Por
qué habrías de hacer eso? Nosotros no hemos

tenido nada más que amistad... ¿Quieres arruinarme la vida?

ANNA

Jajajaja. Estaba comprobando hasta dónde te dolía.

JAN

¿Cómo?

ANNA

Me refería a la pierna. Has saltado como si no hubiera dolor. *(Mirándole con dificultad la pierna debajo del vendaje.)* No veo muy bien, pero me parece que no tiene buena pinta. ¿Te duele?

JAN

No mucho. Un poco. Bueno... Bastante. ¡Joder, me han disparado! ¡Me duele hasta llorar!

ANNA

Pues llora. Te diré lo que haré yo. Necesitas medicinas. Tiene mal aspecto. El hilo que te he puesto acabará infectándose y parece que ya empieza a provocarte una úlcera.

JAN

Descansar ayudará.

ANNA

El romero y el sauce son antiinflamatorios.
Junto al río quizás haya. Y la lavanda y la ca-
léndula, antisépticas. Por el camino me ha pa-
recido ver de todo eso… ¡Lástima que se nos
acabara la miel! Pero en el huerto hay ajos y
cebollas, que también lo son.

JAN

Mañana… Mañana trazaremos un plan.

ANNA

Mañana será tarde… Habrá que hacerlo ahora… La noche está muy oscura y yo soy mujer
lobo, ¿recuerdas? No creo que me vean.

JAN

El perro te olerá.

ANNA

Llevo cecina para sobornarlo.

JAN

Es mucho… riesgo. *(Suspira conteniendo el dolor.)*

ANNA

Sí, pero hay manzanas… ¡Muero por una manzana, Adán!

JAN

Pues haz... la lista... de la compra, tantas cosas... quieres... quieres traer, que necesitarás... una cesta.

ANNA

Jajajaja. Sí, traeré también pan y manteca. Jajaja

JAN

Lo que yo daría por un café caliente.

ANNA

¡O por un chocolate! *(Justo antes de marchar, se acerca a él maternalmente.)* ¿Tienes frío?

JAN

¿Y tú?

ANNA

¡La adrenalina es como una manta!

JAN

Ten cuidado. Si te pasara algo...

ANNA

¡Te sorprendería de lo que soy capaz! Pero una cosa he de decirte antes de irme.

JAN
   Dime.

ANNA
   Mi nombre es Anna.

   Y se marcha.

Escena V

Jan *se echa a dormitar, débil, en el camastro, cuando, de repente, entra sigiloso* Víctor, *jovencísimo militar, armado con su fusil, y, sin hacer ruido, busca a tientas algo de valor entre las pertenencias de la pareja de caminantes, con intención de robarles. Abre las alforjas y saca todo cuanto encuentra: nada que le merezca la pena. Continúa buscando angustiosamente en la oscuridad, hasta que encuentra algo de comida y se lo lleva a la boca con el ansia de quien soporta días con el estómago vacío.*

Al mismo tiempo, por el camino oscuro, Brigitta *asalta de nuevo sorpresivamente a su hija* Anna. *Viene descalza, despeinada y ensangrentada, pero vigorosa. Ambas escenas, simultáneas en el tiempo, se superponen.*

***

Cuando Jan *se mueve, ambos se sobresaltan y* Víctor *agarra con fuerza su fusil y apunta a* Jan.

VÍCTOR
    ¡Las manos en alto!

JAN
    (Alzando los brazos.) Por favor… Por favor, no
    me detenga. No estoy haciendo nada malo. ¡No
    estoy huyendo!

VÍCTOR
    ¡Calla! *(Apuntando casi a oscuras con el arma.)*
    ¡No grites! ¡No te muevas! Dime dónde tienes
    el dinero y me marcharé sin hacerte daño.

***

En mitad del camino, BRIGITTA *interpela repenti-*
namente a su hija y la asusta.

BRIGITTA
    ¡Anna!

ANNA
    ¿Mamá?

BRIGITTA
    Hija, te llamo porque…

ANNA
    ¡¡Mamá!!

***

JAN

No tengo dinero.

VÍCTOR

¿Nada de oro? ¿Cómo piensas abrirte camino en el norte, entonces?

JAN

Ya le he dicho que no estoy huyendo.

***

ANNA

Mamá, ¿qué te pasa? Es muy tarde...

BRIGITTA

¿Dónde crees que vas, Anna? ¿Qué piensas hacer? ¿No iréis a cruzar por el río? Mira, Anna, que te he dicho que...

ANNA

¡Estás sangrando, mamá! ¿Qué te ha pasado? ¿Estás bien?

BRIGITTA

No es nada.

ANNA

(*Tratando de curarla.*) Pero ¿qué te han hecho?

***

VÍCTOR

No puedes engañarme. Por estas veredas todos estamos huyendo.

JAN

¿Todos? ¿Tú también?

VÍCTOR

¡No me juzgues! Soy yo quien tiene el arma y está apuntando. ¡Dame lo que tengas de valor!

JAN

¿De valor? (*Mostrándole la herida de la pierna.*) Ya no me queda ni el valor de mi propio cuerpo. (*Incorporándose, sin llegar a levantarse y con mucho esfuerzo.*) Si me disparas en el pecho, me haces hasta un favor. (*Señalándose el lugar preciso donde quiere que le dispare.*) ¡Adelante!

***

BRIGITTA

Te llamo precisamente para contártelo, hija.

ANNA

(Limpiándole la sangre, se arrodilla ante ella como ante una imagen sagrada.) ¿Contarme qué, mamá?

***

VÍCTOR

No te creo. Llevas dinero. Joyas tal vez. ¿De qué pensabas vivir?

JAN

Trabajando. ¿Pero crees que alguien me va a contratar en este estado?

VÍCTOR

¿Y cómo ibas a pasar la frontera, si no tienes para sobornar?

JAN

Nadando. Pensaba cruzar el río. Pero ahora… Ya ves. Soy un lisiado. No podría siquiera saltar la valla. Y, sin comida, no creo que resista mucho más tiempo aquí. Así que dispara y hazme un favor.

***

BRIGITTA *se arrodilla a la altura de su hija para hablarle a los ojos. Madre e hija están frente a frente*

porque, aunque se encuentren lejanas espacialmente,
se presienten con rotunda intensidad.

BRIGITTA

Han entrado en la casa, hija. Se han llevado a
tu hermano.

ANNA

¿Por qué a él? ¿Por qué?

BRIGITTA

Para la causa, han dicho. Hacen falta hombres
para la causa.

ANNA

¡Pero si es un niño, mamá! Es un niño grande...

BRIGITTA

Eso les dije yo. Eso les dije. ¡Es un niño grande!
Y mira cómo me han dejado.

***

VÍCTOR

(Bajando la guardia. Ha pensado que, si no va a
conseguir dinero, al menos obtendrá información.)
¿Por dónde pensabas cruzar el río?

JAN

¿Por qué quieres saberlo?

VÍCTOR

La información es oro.

JAN

(*Acercándose a él y escudriñándolo en la oscuridad.*) ¿Pero cuántos años tienes?

VÍCTOR

¡Dime por dónde pensabas cruzar el río!

JAN

Te lo digo, si me consigues medicinas.

***

ANNA

Es un niño, mamá...

BRIGITTA

(*Levantándose.*) Pero puede disparar, me dijeron. Para empuñar un arma no hace falta más que la mano y el arma.

ANNA

¿Adónde se lo han llevado?

BRIGITTA *abraza por la espalda a su hija.*

BRIGITTA
Eso quería contarte... Nos resistimos, hija. No
debimos haberlo hecho, pero opusimos resis-
tencia.

ANNA
¿Y entonces? ¿Sigue en la casa contigo?

BRIGITTA
Tu hermano se ha quedado en la plaza. *(Se des-
pega de su hija y adentrándose, poco a poco, en la
oscuridad, se aleja lentamente.)* En la plaza... Te
he llamado para contártelo. ¡Anna, ten cuidado!
¡No corras riesgos!

ANNA
¡Mamá!

BRIGITTA
Y sé siempre honesta, hija. ¡No hagas nada de
lo que puedas arrepentirte! Nosotras no somos como ellos. Lo único que nos queda es
la dignidad.

ANNA
¡Mamá! ¡Pero no te vayas! ¡Mamá, ven! No me
has contado... ¿Estáis bien?

BRIGITTA

>¡Reza por tu hermano, Anna, reza por él! (BRIGITTA *se gira y desaparece en la más profunda oscuridad.*)

ANNA

>¡Mamá! ¡Mamá! ¡Mamá! *(Y se escucha a un perro ladrar, mientras también* ANNA *desaparece.)*

✳✳✳

VÍCTOR

>Lo que llevo es morfina.

JAN

>La morfina no cura.

VÍCTOR

>Pero calma. ¡Yo mismo te la inyectaré!

JAN

>Calma, sí... Y en el mercado negro es oro... ¿Verdad? ¿La robaste antes de huir? ¿Por qué has desertado?

VÍCTOR

>Dime por dónde pensabas cruzar y te daré un bonito viaje. Es morfina de hospital. Calidad...

JAN

¿No vas a contestarme? No te estoy juzgando.
Yo tampoco he querido luchar. Esta guerra no
es nuestra. Morimos para otros. Matamos para
otros. Entre nosotros no habrá vencedores y,
cuando todo acabe, ellos se repartirán las mi-
gas de lo que quede. ¿Cuántos años tienes? La
noche está oscura, pero por tu voz pareces muy
joven. Contéstame, por favor. Soy un moribun-
do que también huye.

VÍCTOR

(Se rompe.) Vinieron por nosotros. ¡Quince, veinte, treinta niños llegamos a ser! Entraban en
las casas para reclutarnos. ¡Faltan hombres!,
gritaban. Y al que se resistía lo mataban y lo
colgaban en la plaza, delante de todos. ¡¡Mirad
los perros cobardes cómo acaban!! ¡¡Os colga-
remos como a galgos viejos que ya no saben
cazar!! Eso... Eso decían... Muchos muertos siguen en las plazas llenos de moscas y no dejan
que sus familiares se los lleven.

JAN

¿De dónde eres?

VÍCTOR

Me fui con ellos. No me quedó otra opción.
Mi madre me dijo: «Vete. Si no te matan en

el frente, te matará el hambre. Vete y no mires atrás».

JAN

Esa historia la conozco.

VÍCTOR

Entramos a un pueblo a saquear. Los mandos decían: «¡Nosotros necesitamos la comida más que unos civiles inútiles!». Eso nos decían los mandos... «¡No es robar!». Yo entré en un corral y cogí una gallina. Entonces ella empezó a llorar.

JAN

¿Quién?

VÍCTOR

La niña. La niña. Esa niña. Yo no quería hacerlo... Disparé. ¡Disparé a una niña! ¡Disparé a una niña y creo que la he matado! Esa niña... Estaba desarmada, pero lloraba muy fuerte. Me puse nervioso.

JAN

Quizás solo esté herida.

VÍCTOR

Mi superior me dijo: «La primera muerte es la que más duele». Pero era una niña, una niña que lloraba por su gallina...

JAN

    Tranquilo…

VÍCTOR

    «Las niñas son inútiles», me decían, «no saben disparar». «Esa niña vale menos que su gallina. ¿Vas a llorar por una niña, subnormal?». Pero las lágrimas se escapaban de mis ojos sin que yo pudiera evitarlo, así que me pegaron para que llorara con razón. Trece correazos. Trece. Los conté bien. Y ahora me sigue. No sé cómo ha llegado aquí. ¿Puedes pedirle que se vaya?

JAN

    ¿A quién?

VÍCTOR

    A la niña.

JAN

    Esto… ¡Claro…!

VÍCTOR

    ¡No puedo seguir aquí! Necesito dejar todo atrás. Quiero llegar a un lugar donde ni siquiera entienda a quienes me hablen y así poder ser otro, ser nadie… Haré lo que sea por salir de aquí.

JAN

(*La piedad se instala entre los dos.*) Me han hablado de una cuerda. Un nadador aventajado ha conseguido unir las dos orillas con una soga de barco. La cuerda no puede verse porque está sumergida, pero desde el otro lado, llegada la hora, alguien tirará y la hará subir para que nos agarremos. Hay que cruzar de noche y ligeros de equipaje.

VÍCTOR

¿No hay otra alternativa?

JAN

La otra opción es la valla… pero tú mismo sabrás lo vigilada que está.

VÍCTOR

¿Dónde está el cabo de la cuerda?

JAN

El sitio lo van cambiando para no levantar sospechas.

VÍCTOR

¿Cómo lo sabrás, entonces?

JAN

Tengo amigos que me deben favores. Dame toda la morfina que tengas y te llevaré al lugar.

VÍCTOR

(*Apuntando, de nuevo, con el arma.*) ¡¡Dime dónde está!!

JAN

La información tiene un precio.

VÍCTOR

¡El primer muerto es el que más duele!

JAN

Muerto no valgo nada y a ti te andan buscando...

Entra en ese momento ANNA *empuñando una pistola y apuntando a* VÍCTOR *por la espalda.*

ANNA

¡¡Suelta el arma!!

VÍCTOR *deja su fusil en el suelo y levanta las manos.*

JAN

¿De dónde la has sacado?

ANNA

Te dije que llevaba un arma.

JAN

Pensé que te tirabas un farol.

ANNA

Ya te advertí que solo la sacaba para usarla... *(A
Víctor.)* ¡Ponte de rodillas! *(Víctor la obedece.)*
¡Danos todo lo que lleves! *(Víctor empieza a
sacar de su petate cosas de poco valor: ropa militar,
una taza de latón, un cuchillo y una cuchara.)* ¡He
dicho todo!

JAN

Saca la morfina de donde la lleves y ponla sobre la manta.

Víctor obedece.

Víctor

Sin morfina no tengo nada...

ANNA

No lloriquees. ¡Te queda la vida! ¿Te parece
poco? *(Cuando Víctor se acerca a la manta para
soltar los viales, Anna se fija mejor en él y se horroriza.)* ¡Pero si eres un niño! ¿Qué edad tienes?

Víctor

La suficiente.

ANNA

¿La suficiente para qué? ¿Para matar?

VÍCTOR

No me dejéis sin nada, por favor... Si me quedo sin morfina, no podré salir de aquí. Y no puedo quedarme en el país, soy un desertor. Si me encuentran, no me harán preguntas. Dispararán y me expondrán en la plaza, como a los demás objetores.

ANNA

(Conmocionada, baja el arma.) ¡Lárgate!

VÍCTOR

(Recogiendo su fusil y su petate.) Gracias, gracias, gracias...

Y se marcha mirando hacia atrás, desconfiado, con temor de que le disparen, como tantas veces ha visto hacer, por la espalda.

Escena VI

Jan y Anna ya solos, aún incrédulos ante lo que acaba de suceder.

Jan

¿Por qué has hecho eso?

Anna

No hubiese sido justo.

Jan

¿Justo para quién?

Anna

¡Es un niño, Jan!

Jan

Los niños también matan. ¿No te das cuenta de que estoy vivo gracias a ti?

ANNA

¡¡Podría ser mi hermano!!

JAN

Pero no lo es.

ANNA

Mi hermano está en la plaza, Jan. Mi hermano...
Colgado con los otros niños...

JAN

¿Qué sabes? Acabas de dejar escapar a un ase-
sino. Tú misma lo dijiste. Esto es una guerra.
¡No hay piedad!

ANNA

No malgastes tu energía y mira. *(Y sale de las
ruinas en busca de algo que se ha dejado fuera.)*
Traigo manzanas, uvas, peras, pan, mantequilla,
carne...

JAN

Pero... ¿Cómo?

ANNA

Espera, aún hay más.

JAN

¿Más?

144

ANNA

He conseguido medicinas, alcohol, una venda...

JAN

Pero, Anna...

ANNA

¡Y un capricho! ¡Jabón para bañarme mañana en el río!

JAN

¿Cómo has robado todo eso?

ANNA

No lo he robado. Se lo he comprado.

JAN

¡Pero si no tienes dinero! ¿Cómo le has pagado?
No era necesario que te...

ANNA

¿Recuerdas la medalla que llevaba al cuello?

JAN

De tu abuela...

ANNA

Ella estaría contenta de que me sirviera para salvarme la vida, más que para adornar mi pecho. Túmbate, te voy a curar.

JAN

(Obedeciendo.) ¿Cómo voy a pagarte todo lo que estás haciendo por mí?

ANNA

Lo hago por los dos.

JAN

Anna…

ANNA

Dime.

JAN

Te echaré de menos cuando tengamos que separarnos.

ANNA

Yo a ti no. La añoranza es un sentimiento que no nos podemos permitir en tiempos de guerra.

JAN

¿Y el amor?

FIN DEL SEGUNDO ACTO

TERCER ACTO

Escena I

Jan, visiblemente mejorado, recoge sus pertenencias mientras Anna se peina una trenza mirándose en el cristal roto de una de las ventanas. Está cayendo la tarde sobre la colina y la casa en ruinas adquiere colores cálidos que tiñen de hospitalidad las tres mudas piedras que los han acogido. La cercanía del fin les genera cierta nostalgia que pronto será eclipsada por el miedo.

ANNA
Está todo, ¿verdad? No nos dejamos nada...

JAN
(Mirando por última vez la que ha sido su guarida.) Algo nuestro sí se queda en esta casa.

ANNA
Cuatro paredes sin techo no es una casa.

JAN

(*Alargándole una blusa que ella se ha dejado peligrosamente atrás.*) Pero puede ser un hogar. Los hogares son las personas.

ANNA

Cuando gane dinero, viviré en una casa con jardín, ¿te lo he dicho? Y plantaré un rosal en la puerta.

JAN

¿Recibirás visitas?

ANNA

Si vienen con dulces, sí.

JAN

Pues te llevaré dulces. ¿Cuáles te gustan?

ANNA

Cualquiera que lleve chocolate. ¿Y a ti?

JAN

(*Mirándola con melancolía, sabe que es improbable que vuelvan a verse.*) También. Aunque no sé si a Lara le gustará que tenga trato contigo. Es celosa...

ANNA

(Mientras empiezan a caminar.) No tiene nada de qué temer. No eres mi tipo.

JAN

Tú el mío sí.

ANNA

En cualquier caso, tendrás que avisarme antes de venir, puede que tenga otros planes...

JAN

Te llevaré flores.

ANNA

No me gustan las flores cortadas, se mueren...

JAN

¿Y eres poeta? Deberías saber que la belleza es efímera.

ANNA

No necesito esa continua constatación. No me gustan ni las flores ni los relojes.

JAN

No te regalaré, tampoco, relojes.

ANNA

Mira, ya se ha puesto el sol sobre las montañas...

JAN

Antes de que amanezca, estaremos en el río.

ANNA

¿Estás nervioso?

JAN

Un poco. ¿Y tú?

ANNA

Yo pienso en mi madre... Y en mi hermano.

JAN

¿Piensas llevártelos contigo, cuando estés bien situada?

ANNA

Mi madre... Ella... Bueno... Mi madre nunca abandonaría el pueblo. Allí están enterrados sus muertos.

JAN

¿Entonces?

ANNA

Las dos sabemos que no nos volveremos a ver.

JAN

¿Nunca regresarás?

ANNA

Sé que no.

JAN

Al menos, sabréis que estáis bien.

ANNA

De momento... Bien, de momento. La vida está en cada exhalación y nunca sabes cuál es la última.

JAN

Yo sí espero volver, cuando acabe la guerra.

ANNA

Tú mismo dices que las guerras no terminan. Cambian sus formas, se vuelven silenciosas... Pero el rencor no descansa.

JAN

Sueño con formar una familia y vivir en mi pueblo.

ANNA

¿Una familia? ¿Para qué?

JAN

Para tener a quien amar.

ANNA

Yo no pienso amar nunca más. Cada ser amado te abre una herida que se puede infectar. Cuestión de salud.

JAN

Yo a ti te quiero.

ANNA

Yo a ti no.

JAN

¿Por qué me ayudas, entonces?

ANNA

Por lealtad.

JAN

¿Solo eso?

ANNA

Ni más ni menos que eso. La lealtad es un sentimiento más noble que el amor.

JAN

¿Tampoco amas tu patria?

ANNA

¿Qué es una patria?

JAN

El lugar donde naciste, el lugar al que te une
un vínculo, el lugar que te pertenece...

ANNA

Como dijo el poeta: la única tierra que nos
pertenece es aquella en la que morimos.

JAN

Puede que no te pertenezca ni un mal puñado
de esa tierra, pero tú sí perteneces a ella.

ANNA

Yo no soy una pertenencia del estado. No soy
su posesión. ¡Y tú tampoco! Por eso huyes, ¿no?
Tú no quisiste ser su instrumento.

JAN

Yo no soy un arma para unos poderosos que
quieren más poder a costa de la sangre y el
hambre de inocentes. Pero eso no significa que
no pertenezca a una comunidad, de la misma
forma que la comunidad me pertenece a mí.

ANNA

En ese caso, deberías estar luchando con tu
grupo para que esto acabe.

JAN

Mi forma de luchar precisamente es no ali-
mentar el odio.

ANNA

¡Están masacrando a tu pueblo y te marchas!
¡Lucha, joder! ¡No huyas!

JAN

No soy un desertor. ¡No soy un desertor! ¡¡No
soy un desertor!!

ANNA

Abre los ojos, ¡no tienes patria! ¡Ya no hay ninguna patria! ¡Nos han dividido y la han roto!

JAN

¡Claro que tengo patria! Soy parte de algo más
grande que yo. Amo el valle donde nací, amo
mi tierra. Amo su música, su comida, su pai-
saje... ¡Amo a sus gentes!

ANNA

Vives fuera de la realidad.

JAN

No me conoces.

ANNA

Ni tú a mí.

JAN

¿Cómo puedes ser poeta, si no crees en el amor?

ANNA

Precisamente por eso.

Siguen andando serios, en un distante y tenso silencio, bajo una luna llena que asciende lentamente con solemnidad.

ANNA

Nos hemos perdido.

JAN

No, solo hay que seguir el canal que lleva hasta el río.

ANNA

Llevamos una hora dando vueltas sobre nuestros propios pasos. *(Se oye el aullido de un lobo.)* No nos podemos permitir perder más tiempo y más energía.

JAN

Calla.

ANNA

¿Me estás mandando callar? ¿Tú?

JAN

Calla y escucha... Lobos...

ANNA

No. Es el viento entre los álamos, estamos llegando al río.

JAN

¡Escucha bien! Son lobos.

ANNA

Tengo una pistola... No vamos a tener miedo
de unos lobos, ¿no?

JAN

¿Estás asustada? *(Se coloca frente a ella. Algo no
va bien.)* Es la primera vez que te veo el miedo
en los ojos.

ANNA

Pero no son los lobos lo que me asusta.

JAN

¿Entonces? ¿Qué es lo que te aterra? ¿Qué te atormenta?

ANNA

Nada.

JAN

Dímelo, Anna. *(Se alarga, como un hilo tenso, el silencio.)*

ANNA

No sé nadar.

Escena II

Anna y Jan ya están frente al río. Se escucha su rumor como una promesa y los primeros rayos de la mañana alumbran sus caras insomnes. Ambos miran al frente con incertidumbre. Por un largo tiempo no se hablan. No están todo lo contentos que imaginaban cuando soñaban con este momento. La alondra canta y rompe el silencio.

Anna
   Ya estamos aquí.

Jan
   En la otra orilla de nuestros sueños…

Anna
   Ya no hay marcha atrás.

Jan
   Aún puedes arrepentirte.

ANNA

De lo que me arrepentiría es de no haberlo
intentado.

JAN

Lo que nos espera al otro lado no es mucho
más fácil que lo que llevamos recorrido.

ANNA

No sabemos qué encontraremos al otro lado.

JAN

Un valle gemelo al que dejamos atrás. Con la
misma fauna y la misma flora. Pero con otro
idioma...

ANNA

En realidad, las únicas fronteras son las que
marcan los idiomas. Hasta aquí llega mi lengua, hasta ahí la tuya.

JAN

...otra cultura, otras costumbres...

ANNA

...pero el ser humano es el mismo. Estamos con-
formados de amor y miedo en distintas propor-
ciones, pero somos idénticos.

JAN

¿Has entendido bien lo que tienes que hacer ahora?

ANNA

Agarrarme fuerte a la cuerda para que la corriente del río no me lleve.

JAN

¡Exacto! Pondremos la soga muy tensa para que puedas ir avanzando a lo largo de ella sin tener que nadar.

ANNA

Pero la cuerda no me va a hacer flotar...

JAN

Te amarraré un tronco hueco al cuerpo para que flotes. ¡Mira! ¡Ese nos puede servir!

ANNA

¿Y las cosas?

JAN

Las mantas se quedan aquí. Guardarás los zapatos en el hatillo y lo llevarás todo en la cabeza.

ANNA

Se mojará...

JAN

Si eso pasa, después lo pones a secar...

ANNA

¿Y qué haremos una vez que lleguemos al otro lado?

JAN

Nos separaremos y buscaremos el norte. Probablemente tú encontrarás trabajo antes que yo.

ANNA

¿Por qué?

JAN

Eres una mujer. Estás fuerte y sana. Eres bonita. Un poco antipática *(bromea)*, pero hay gente a la que le gusta eso.

ANNA

¿Fuerte? Mírame, Jan. ¿Te parece que tengo buen aspecto?

JAN

Bueno, nada que no se arregle con un buen baño, tres días comiendo con cuchara y durmiendo en una cama.

ANNA

Jan, tengo que pedirte algo antes de cruzar.

JAN

Te escucho...

ANNA

¿Me harías un favor sin tiempo?

JAN

Sea lo que sea, te lo debo. ¿De qué se trata?

ANNA

Jan... Si me ahogo, procura que no se entere mi madre. Ella no debe saber que he muerto. Gastó todos sus ahorros en que yo pudiera escapar, merece pensar que estoy a salvo y soy feliz. En este cuaderno, además de poemas, hay escrita una carta. Jan, por favor, si me pasara algo, envíala a mi madre por mí. Y escríbele cada mes, hasta que dejes de recibir respuesta.

JAN

No te va a pasar nada, Anna...

ANNA

Por si acaso...

JAN
    Como quieras, pero...

ANNA
    En la última página está la dirección.

JAN
    Y si...

ANNA
    No notará que no seré yo quien las escriba. Tú
    también eres poeta.

JAN
    Pero, Anna...

ANNA
    Inventa una bonita historia para mí. Dile que
    soy feliz.

JAN
    Sí, Anna...

ANNA
    Y recuérdale que la quiero. No olvides poner
    eso, Jan. Es lo más importante.

JAN
    Pero, Anna... ¡Anna!

ANNA
¿Qué?

JAN
¿Y si morimos los dos?

ANNA
¡¿Tampoco sabes nadar?!

Escena III

De entre los árboles aparece sigiloso VÍCTOR, *que sagazmente escucha, escondido, la conversación de ambos. Sentándose en el suelo,* JAN *se descalza y sacude sus calcetines para después volvérselos a poner del revés en un inútil acto mecánico que le da seguridad.* ANNA *no pierde la alerta.*

JAN
Tenemos que esperar a que aparezca Ariel. Él se pasea por esta orilla un par de veces al día. Si todo está en orden y no se lo han cargado, en unas horas nos encontraremos.

ANNA
¿Sabe Ariel que vienes acompañado?

JAN
Obviamente, no.

ANNA

Entonces, esto serán dos favores…

JAN

Él solo tendrá que tensar la cuerda por más tiempo del que tenía previsto, pero seremos rápidos.

ANNA

¿Qué pasa si lo descubren?

JAN

Nunca lo han pillado. Ariel es una ardilla. Si ve que su seguridad corre peligro, soltará la cuerda y se marchará.

ANNA

¡Oye! ¡No me tranquilizas!

JAN

En estos momentos, nada de lo que diga te va a sonar tranquilizador, pero puedo contarte un chiste.

ANNA

¡Qué bobo!

JAN

También podemos decir trabalenguas, para pasar el rato…

ANNA

¿Trabalenguas? ¿Qué edad tienes?

JAN

En tiempos de guerra, los años se cuentan por siete,
como los de los perros. ¿Cuántos tienes tú? ¿Veinte? Con tu edad, yo todavía jugaba a la rayuela.

ANNA

Y me apuesto el cuello a que ahora también.

JAN

Jugar no es malo. ¿Tú no juegas a nada?

ANNA

(Sentándose ya más relajada.) Jugaba a las cartas
con mi padre. Era un tramposo.

JAN

(Se tumba para atrás, está más cansado que nervioso.) ¡Qué bonito está el cielo! Podemos jugar a
buscar formas de cosas en las nubes. ¡Mira allí!
Veo una cama.

ANNA

Jajajaja. ¡Eso es por las ganas que tienes de dormir en blando y a cubierto! Yo veo una lámpara
de araña gigante, como la de los teatros. ¿La ves?
Y allí un león.

JAN
 ¿Dónde?

ANNA
 Allí. ¿Lo ves?

JAN
 Más bien un perro, ¿no?

ANNA
 Era un león hasta hace un segundo, pero se están moviendo muy rápido las nubes.

JAN
 La verdad es que sí. Parece que se anuncia lluvia. ¡Mal asunto! Si llueve, el río se pondrá peligroso.

ANNA
 ¡Podrías haberte ahorrado el comentario...!

JAN
 Tranquila. No lloverá hasta la noche.

ANNA
 ¿Cómo lo sabes?

JAN
 Soy agrónomo.

ANNA

Nunca me lo habías contado… En realidad, sé muy poco sobre ti.

JAN

Te sorprendería saber muchas cosas de mi vida. Nunca te he dicho, por ejemplo, quién era mi padre… ¡Pero los datos no hacen a las personas! Como se comportan en la adversidad, sí.

ANNA

No necesito saber mucho más.

JAN

Ha sido un placer recorrer el camino contigo.

ANNA

Aunque me cueste admitirlo, te voy a echar de menos.

JAN

En el fondo, me quieres un poquito.

ANNA

Ha sido inevitable.

JAN

Yo… también…

ANNA

«También» es una palabra a veces bonita y a veces fea…

JAN

Depende de lo que venga detrás.

ANNA

Como el futuro…

JAN

Todo es futuro.

ANNA

¿Sabes? Dicen que los astros predicen el destino, que todo está escrito, pero yo no lo creo. Yo tengo una fuerza aquí dentro que trepa, que muerde, que araña, que no permite cadenas ni sentencias, que no acepta designios… Yo tengo una fuerza aquí dentro que combate con más brío que las olas, que grita sin miedo mi nombre y exige libertad. No soy la mujer silenciosa que amargamente ahoga su llanto para no dar motivos a más desdichas. Soy la que, con el viento, agita los brazos por encima de la cabeza y arranca su propia raíz del suelo, sin miedo a ser una flor cortada.

Quizás nuestras madres llevaran razón. Puede que, a pesar de todo, exista Dios. En ese caso, yo lo llevaría aquí dentro, entre mi pecho y mi espalda, y cualquiera que se acercara a mí podría escucharlo a diez metros de distancia, de tan fuerte como empuja furiosa mi sangre hasta mi garganta, pidiéndome hablar. Dicen que los astros predicen el destino, pero yo he escrito el mío. Beberé de aguas limpias. Sonreiré a los desconocidos. Bailaré con zapatos nuevos. Apoyaré mi espalda en la arena tibia para mirar a un cielo raso sin amenazas y sanaré de rabia e impotencia escuchando el murmullo del mar.

Aprovechando el descuido, entra Víctor, *atravesando la maleza como un felino.*

JAN
    ¿Qué es ese ruido?

Es Víctor, *que ágilmente se coloca detrás de* Anna *y la apunta a la cabeza.*

Anna
    Jan…

Víctor
    ¿De quién es el juego ahora? Y parece que soy el único de esta reunión que sabe nadar… ¿Cuánto tardará en llegar ese tipo? ¿Quién de los dos le va a decir que yo cruzo el primero?

JAN

Si le disparas a ella, tendrás que matarme a mí. Y sin mí, no hay Ariel ni cuerda. ¡Suelta el arma! *(A* ANNA.*)* Te dije que no tenías que haber sido buena con él, Anna... En la guerra no hay piedad.

VÍCTOR

Es cuestión de supervivencia. Sobrevive el más fuerte y el débil debe aceptar la derrota. Ahora no soy el pez pequeño.

JAN

Solo no llegarás lejos.

VÍCTOR

Pero tres son multitud.

Y en ese momento, empieza a llover.

Escena IV

Se ha teñido de negro el cielo sobre la ribera del río y llueve con suavidad. La llovizna, leve como caricia, parece querer protegerlos. A ninguno de ellos les importa mojarse. Anna y Jan se miran a los ojos, queriendo decirse algo que no llegan a entender. Sus cuerpos gritan en silencio. Víctor tiembla de ansia y siente cómo el sudor resbala por su cuerpo, confundido con la lluvia. Solo se escucha el viento entre los árboles y el débil crepitar de las gotas en el lomo terso del río, pero a la mente de Víctor acude un incesante llanto que quisiera ahogar.

Víctor
   (*Con la mirada perdida en el encuentro de tierra y cielo.*) ¡Calla! ¡Calla ya, maldita! Solo es una gallina. ¡¡Una puta gallina!!

Jan
   Tranquilo, muchacho…

VÍCTOR

¡¿Qué-importa-una-gallina?! ¡¡Dímelo!!

JAN

Nada… No importa nada… Tranquilízate.

VÍCTOR

Tu vida vale menos que la de esa gallina por la que lloras todo el rato, niña. ¡Cá-lla-te! ¡¡Te he dicho que te calles!!

JAN

Ya se va… Se está yendo… ¿La ves? Se marcha, se marcha…

VÍCTOR

(A JAN.) ¡Tu vida tampoco vale nada, gilipollas! ¡Ni la de ella! No os mováis o disparo. Primero a uno y después a otro. Vuestro aliento no vale nada. ¡Nada! Sois menos que el pasto que ha de arder si el ganado no lo come. ¡Ni como carnaza servís a los lobos! Bocas abiertas que cruzáis la frontera pidiendo comida y agua… No vais a atravesar este río. Ya hay demasiado refugiado hambriento allí. ¡Vosotros os quedáis a este lado!

JAN

Tranquilo, muchacho. Baja el arma. Vamos a hablarlo.

Víctor

Vuestro tiempo está llegando a su fin. Un par de vidas inútiles. ¿Creéis, acaso, que alguien recordará vuestros nombres como héroes de guerra? Ni una lápida ni una lágrima ni una oración merecéis.

Anna

Baja el arma, por favor.

Víctor

Voy a contar otra vez la misma historia, a ver si vosotros os enteráis. Yo estuve allí donde nace el río y era fresca y tierna la hierba alrededor. En su lecho el agua es pura. Fresnos, arces y majuelos le dan sombra para que el sol no la toque. Para que no la ensucie ni la tibia luz de la mañana... Pero el río avanza por terrenos mezquinos, comarcas donde la ambición es más fuerte que la justicia, y arrastra en su cauce la sangre de la discordia, porque nada calma la sed de los codiciosos. ¡Avaricia infinita! Morimos por un pozo que podría darnos de beber a todos. Maldita guerra de agua... Cuando aquí llega el río, ya viene ancho, amargo y lleno de cadáveres. Los vuestros serán solo dos más.

Aparece entonces, de repente, entre las cañas, desdibujado por la sombra móvil de los cobrizos chopos que bordean el río, la figura de un hombre, presumiblemente ARIEL, que, sin hablar, hace gestos con las manos para que se aproximen. Todos se giran hacia él. Es la salvación.

JAN
　¿Ariel?

VÍCTOR *se gira.*

JAN
　Es él.

Entonces, ANNA, *aprovechando la coyuntura que ha forzado la lluvia y el descuido que ha provocado la repentina llegada del extraño, trata de zafarse y corre con torpe desesperación hacia el interior de los cañaverales que bordean la ribera, pero en ese momento* VÍCTOR *reacciona impulsivamente y, sin mediar palabra, casi sin querer mirarla, cierra los ojos y, entre jadeos, dispara.*

VÍCTOR
　El primer muerto es el que más duele.

ANNA, *indefensa, cae como un cervatillo al suelo y* JAN *corre hacia ella gritando su nombre.*

JAN
  ¡¡Anna!!

Al llegar hasta donde ella yace, se arrodilla ante su cuerpo, quebrado como una flor, y, como si quisiera mantenerla tibia, la acurruca en su pecho con toda la ternura que hasta ahora no ha podido demostrarle. Mientras tanto, mezcladas con la lluvia, corren la sangre y la vida, inevitablemente, ribera abajo.

El instante parece quedar detenido por un dolor mudo.

Silencio.

Se escucha entonces, confundida con el viento, la voz de ÚRSULA *que llega lenta, atravesando los juncos, y cantando su nana a un niño que ya no lleva en los brazos. Se agacha para coger con ternura el tronco hueco con que* ANNA *iba a cruzar el río y, acunándolo como a un bebé, tararea:*

ÚRSULA

Lucerito de mi vida,
quién te pudiera guardar
en la canal de mi pecho
o en las olitas del mar.
Lucerito de mi vida,
candelita de mi hogar,
estaré siempre contigo,
para siempre te he de amar.
Y en esa silla vacía,
sola te habré de esperar,
lucerito, lucerito,
una, dos, tres vidas más.
Mientras tu madre esté cerca,
nada a ti te va a faltar,
haga calor o haga frío,
haya guerra o haya paz.
Lucerito de mi vida,
aunque se vuelva a nublar,
cantaré para que duermas...

Mientras tanto, VÍCTOR *huye sin mostrar arrepentimiento y, antes de que se termine la canción, entra* BRIGITTA, *arrastrando sus pies descalzos, pero con la cabeza alta y el orgullo intacto.* JAN, *que parece verla, coge entonces el cuaderno de* ANNA *y comienza a escribir con determinación.*

BRIGITTA, *impasible y sin una sola lágrima, lee la carta de su hija.*

BRIGITTA

Querida mamá:

Son ya seis semanas en esta preciosa ciudad. Cuanto más conozco a la gente de aquí, más me gusta este país. Todo el mundo es amable conmigo y mi trabajo es reconfortante. He mandado mis poemas a un concurso. Presiento que voy a tener suerte y pronto estarás orgullosa de tu hija.

He conocido a un chico, Jan, que me hace reír. Es moreno y apuesto. A ti te gustaría, porque se parece a papá. Es listo y habla mucho. Quiere fundar una familia. Yo también. Si algún día tengo una hija, le pondré tu nombre. La casa en la que vivo tiene un precioso rosal como el nuestro. Cuando lo riego, pienso en ti.

En realidad, pienso en ti a todas horas, mamá. Te extraño y siento que me haces falta de una manera más profunda que cuando era niña. Y, aunque para el amor que yo te tengo no hay fronteras, saberte lejos me abre un hueco en el pecho que solo puedo llenar con poesía. Y eso es lo que hago, escribir hasta empapelar el mundo de ti.

Te quiero, mamá. Te quiero mucho.

¡Más de lo que alcanzaré nunca a demostrarte!

Anna.

Entonces cesa la lluvia
y, tras la sonrisa de Brigitta, *cae el*

TELÓN

~~Quien vende la leche~~
Mujer lobo

De Anna de Elva

Condoliente

Regresarás del duelo y morderás los días
como a roja manzana, regalo del otoño.
Recibirás las manos que, abiertas, traen señales
de amores sin espinas. Se llenará de flores
el jardín de tu casa y volverás a ser tú.
Pero la niebla ciega tu camino sin vuelta.
A pesar del vacío, también hoy sigues viva.
Respiras bocanadas de auxilio mendicante,
pidiendo a Dios permiso, pidiendo a Dios perdón,
sabiendo que no hay aire con que calmar tu angustia,
llenando los vacíos que dejaron al irse
aquellos que ocupaban tu pecho y tus minutos.
Escuchas los rumores lejanos de la calle.
Ignorante la calle; necia y sorda la calle.
Impasible la calle que impúdica se ríe.
¡Brillantes dentelladas que te muerden con rabia!
Quisieras tú gritarles, pero en tu voz se quiebra,
amordazado y roto, un lamento sin fecha:

«También hoy sigo viva».
Y no hay mayor condena, cuando solo deseas
no cargar más el peso de tu ser, de tus huesos;
desatar de tu piel el frío de noviembre
que aprieta, escuece y duele, recordándote viva.
Y llaman a tu puerta. Son ellos, que te traen
silencios como el tuyo y heridas semejantes.
Sabes que tienen paz debajo de sus uñas.
De compasión descalzos y sin abrigo, vienen
y al abrir les ofreces la mitad de tu aire;
ellos te dan, a cambio, dos tercios de esperanza
y, en su abrazo sincero, sientes que con sus huesos,
graves como los tuyos, soportan un instante
tu peso y tu condena, hermana de la suya.
Notas, bajo el abrazo, su piel como vendaje,
pero no das las gracias, no esbozas tu sonrisa,
solo bajas la frente al fondo de tu pecho,
sintiendo que son ellos quienes te traen la luz
recién recolectada, dulce, tibia, brillante,
para que te la bebas con mansedumbre anciana;
para que abras los ojos, para que sigas viva;
para que pronto vuelvas, como siempre lo hiciste,
a morder cada día, como a roja manzana,
sintiendo el aire limpio que te traen los amigos.

ODA DE LO LENTO Y LO PEQUEÑO

Mi casa me habla. Siempre lo hizo,
pero es ahora,
desde el silencio,
cuando la escucho atenta,
en su lenta rapsodia,
como un canto agridulce a lo breve y pequeño.
Mi casa recuerda las voces que se fueron.
Conversación eterna,
canciones que una vez fueron de moda
y un mapa de domésticos sonidos
que se repiten cada día:
el afónico timbre,
el crujir del cajón de la cocina,
la persiana bailando al viento,
la gota impenitente del grifo del bidet...
Mi casa me habla.
Su arcilla primigenia,
la anciana cal de sus paredes,

la sal que, del sur, el viento le trae
como mancha a sus muros,
la piedra lenta, la madera cálida,
el mármol de la pila por donde corre el agua...
Mi casa me recuerda las cosas que olvidé
y que guardó para mí como tristes vestigios
de todos mis naufragios,
como huellas descalzas,
como tesoro oculto
en cartas, libros, fotos,
en gastados bolígrafos
y en la ropa pequeña de aquella que un día fui.
Pone frente a mis ojos
mis propias grietas,
mis humedades, mis contradicciones.
Mas la que hoy se asoma a esos abismos
no es la que conociste,
aunque aún sean suyas
la voz y la mirada.
Los que tarde regresan vuelven siempre cambiados.
Pero el sol sigue entrando por la misma ventana,
cada invierno, hasta dentro,
cada verano, al borde.
Y es idéntica la luz que me alumbra las manos.
Las manos que hoy te ofrezco,
al fin viejas y libres,
con intacto cariño.

ALBORADA INSOLENTE

Abrid los ojos
y despertad del sueño. Nada es gratis.
Si no pagamos con dinero,
lo haremos con la libertad.
Nada gratis, no eres libre. *Not free.*
Abre los ojos, mira: ya amanece.
Puede que llegue dura la resaca
y vengan tordos caballos sin riendas
levantando, a sus pies, el horizonte
sin que nadie los pueda detener.
Creíste ser feliz, mientras duraba
el baile, la fanfarria, la locura,
la prisa por crecer, la borrachera...
Pero amanece y todo empieza
de nuevo hoy otra vez.
Abre los ojos, levanta las persianas...
Nos amanece a todos,
como también la noche nos iguala.

El muerto de la esquela un día serás tú.
Pero no ahora, que el albor te besa
con timidez infante las mejillas,
sin adjuntar factura, sin reproches,
completamente gratis para ti.
Y es cada amanecer
la única esperanza democrática.
Despierta ya y abre los ojos.
También por tu ventana,
¿lo ves?,
está saliendo el sol.

ÍNDICE

Esta segunda edición de *Pasos de guerra*,
de Esther Garboni, terminó de imprimirse
en agosto de 2023.